Facilitating Breakthrough

How to Remove Obstacles, Bridge Differences, and Move Forward Together

共に変容するファシリテーション

5つの在り方で場を見極め、10の行動で流れを促す

アダム・カヘン 著
Adam Kahane
小田理一郎 訳・日本語版序文

英治出版

私の師である人々へ

Facilitating Breakthrough
How to Remove Obstacles, Bridge Differences, and Move Forward Together
by Adam Kahane

Japanese translation rights arranged
with Berrett-Koehler Publishers, Oakland, California
through Tuttle-Mori Agency, Inc., Tokyo

訳者による序文

本書が、こうして日本で出版されることはとてもタイムリーだと考えます。日本は、今転換期のまっただ中にあるからです。デジタル・トランスフォーメーションや人材の多様化などによる働き方や組織の在り方の見直しや、気候変動や人口減少などの環境、社会、経済の問題によって社会システムそのもののトランスフォーメーションが求められる時代、従来の経済的発展を支えてきたマネジメントの三種の神器「計画、組織化、コントロール」はその有用性を弱め、より探索と学習に満ちた新たなパラダイムが求められています。

そこで欠かせないのが、組織の境界を越え、他の職種、産業、セクターなどの異質な人たちと交流し、そこから生まれたアイデアを具現化すること、つまり、コラボレーションです。

コラボレーションは、ニーズがあれば自然と起こるものではありません。潜在的なメリットは認識できたとしても、短期的には時間やコストがかかります。一方で、単独で行動する選択肢はたとえ将来限界を迎えるにしても、当面の時間やコストを抑えられます。何よりも、現状維持は自分の考えや行動を何ら変えなくてよいという短期的な見返りを人々に与えます。

いわゆる企業連携、官民学連携、企業−NPOパートナーシップなどのコラボレーションが、形式的に始まっても、情報交換にとどまり、目立った成果が出ないままに立ち往生や頓挫して行き詰まることも少なくないでしょう。

このような行き詰まりに満ちた状況において、私たちはどのようにコラボレーションを活かし、よりよい未来を切り拓いていけるのでしょうか？　それこそが本書の主題です。

著者のアダム・カヘンは、行き詰まりにフラストレーションを感じる人たちと共に、「フロー」と呼ばれる流動的なコラボレーションを実現してきました。フローの発動には条件がありますが、その条件が整うタイミングが訪れたとき、それまでは賛同できなかった、好きでなかった、信頼できなかった人たちの間であっても、コラボレーションをすること、そして、よりよい未来へと前進することが可能であることを本書は多数の事例をもって示しています。そして、コラボレーションを有効に機能させるために必要なのがファシリテーションです。

本書は、**人々の間にある障害を取り除き、これまでの制約を突破する（ブレイクスルーを起こす）**アプローチをまとめています。カヘンはファシリテーションには従来、場をまとめようとする**垂直型ファシリテーション**と、個を尊重する**水平型ファシリテーション**の2種類があるとし、そのどちらでもないこのアプローチを、**変容型ファシリテーション**と名付けました。

ファシリテーションとは何か

そもそも「ファシリテーション」とは何でしょうか？　簡潔な一つの定義は、「グループによる知的相互作用を促進する働き」です。グループによる問題解決、知識創造や合意形成を促進する技術として、会議の効率化から組織開発、イノベーション創造、学習、社会変革まで、グループが共に話し合うさまざまな場面で活用されています。

日本ではこの20～30年間、よく耳にする言葉となっていますが、まだ誤解があるようです。例えば、会議や討論などで、司会進行する人が、論点を提示したり、誰が発言するかを仕切ったり、結論をまとめたりする場面を見ることがありますが、これ自体はファシリテーションではなく、「モデレーション」と呼ばれる方法形態です。モデレーションは、主に「コンテント」と呼ばれる議論の内容に焦点をあてて、論理的な結論を引き出すことを目的として行われます。しかし、コンテントばかりに焦点を当てているとメンバー間の相互作用が弱体化します。よく見られる振る舞いは、「議論の過程で突っ込んだ発言を避ける」、「わからないのに質問をしない」、「腑に落ちていないのに発言できない」、「声の大きい人の意見や全体の場の雰囲気に流される」、「その場がまとまるように議論を終わらせる」などです。結論や合意に関しても、論理的には正しくとも共感や納得、コミットメントが築けていないために、「総論賛成各論反対」でメンバーのほとんどは主体的には動かない状況に陥りがちです。これがモデレーション、あるいはコンテントに焦点を当てるアプローチ一般に見られる限界です。

一方で、本来のファシリテーションは、コンテントだけでなく、メンバーたちの間で起こるグループ内の「プロセス」、すなわちコンテクスト、関係性、場の質に焦点を当て、それをもってメンバーたちの新たな理解、関係性、意図を生み出すことを目指します。論理的には正しくとも協力が得られないのは、たいていメンバー間のコンテクストや関係性がないがしろにされているからです。プロセスにも注意を払うことで、メンバーたちの場への参画、納得やコミットメントが得られ、行動の変容が生まれる条件が整えられていきます。

ファシリテーターとして何を学べるか

ファシリテーションの実践者の間では、アダム・カヘンはこの20年以上にわたって注目され、進化し続けてきたファシリテーターです。キャリア初期から、南アフリカのネルソン・マンデラ元大統領、コロンビアのフアン・マヌエル・サントス元大統領などのノーベル平和賞受賞者たちを支援するなど、多くの国や地域で、紛争後の国の統合、民族融和、気候危機、医療改革などさまざまな課題に向き合う場でのファシリテーションに従事してきました。２０２２年には、世界経済フォーラムでも存在感を持つシュワブ財団の「ソーシャル・イノベーション思想的指導者２０２２」に選ばれるなど、ファシリテーターの達人の域にある人物と言って過言ではありません。

その達人がたどり着いた境地において、ファシリテーターのなすべきことは、垂直型と水平型を両極に持つ、たったの5対の動きに集約されます。ファシリテーターは、その個性や経験、能力開発の結果、自身の得意な極と、その反対側に不得意な極を持つことがよくあります。カヘンは、自分の強い極を抑えることよりも、弱い極を強めよと提唱します。

カヘンの教えでより重要なことは、そうした**動き（Doing）を支えるのは、ファシリテーターの在り方（Being）**であることです。心の在り方、注意の払い方について、カヘンは**5つの内面のシフト**として、「オープンになる」「見極める」「適応する」「奉仕する」「パートナーとなる」ことを示します。

伝説のファシリテーターがその体験から導き出した理論は、ファシリテーションの実践をデザインする上での海図と、瞬間瞬間に求められる判断をする上でのコンパスを提供してくれます。

リーダーとして何が学べるか

本書は、ファシリテーターを目指す人だけでなく、組織内や地域内、あるいはより広く経済や社会の中で、変化を創り出そうとするリーダーにとっても有用なものです。

最近日本でも、「ファシリテーション型リーダーシップ」という言葉を耳にするようになってきました。これは、過去見られたようなカリスマや先見性による強い牽引型、マネジメントによる管理型のリーダーシップスタイルにかわって、メンバーたち相互および組織との間のエンゲージメントを高め、それぞれの主体性や潜在可能性を引き出すようなリーダーシップが求められるようになってきたことに呼応しているのでしょう。

本書で示される垂直型（トップダウンの指揮命令）、水平型（ボトムアップの民主的合意制）のプラス面、マイナス面は組織デザインにも援用できます。日本の大多数の組織は、トップダウンとボトムアップの中間域にあり、またその営みは両方の種類の動きが組み合わされていることがほとんどです。

ここで、変容型ファシリテーションのアプローチが、組織開発、組織プロセスのデザインや運営に大きなヒントを与えてくれます。垂直型の組織は既定として垂直型の慣行を、水平型の組織は既定として水平型の慣行を多く持つものです。しかし、激しく変化する時代には、組織を流動的に動かしていくことがしばしば求められます。その際に有効なのは、今の既定の型とは反対の極へ向けた動きをすることです。

組織の経営にあたって、本書で示される「私たちの状況をどのようにとらえるか（6章）」「成功をどのように定義するか（7章）」「現在地から目的地までどのような道筋をとるか（8章）」は組織の長期戦略を考える上で、「誰が何をするかをどのように決めるか（9章）」はガバナンスについて、そして「自分の役割をどのように理解するか（10章）」は主体性や当事者意識について、重要な問いを投げかけます。

これらの問いに対して、メンバーたちがどのように動くか、そして、その率先垂範としてリーダーがどのように振る舞うかについて、垂直型か水平型かいずれかに固着すると膠着や分断を招くことになります。一見対立する2種類の極を、それぞれの状況の中で見極めてタイムリーに循環することが求められます。こうした場にインパクトを与えるタイムリーな行動の見極めは容易ではありません。ここでもやはり本書の示す5つの内面のシフトが有用となります。

そして、リーダーとして重要なことは、それを一人でやろうとこだわらないことです。もしあなたが本書を読んで、ファシリテーションは必要だが自分自身で実践することが難しいと感じる場合、チームの中にファシリテーションに長けた人を見つけ出し、任せるとよいでしょう。本書でも、ファシリテーターや主催者たちがチームを組んで取り組む事例が紹介されています。これからのリーダーシップは、一人ではなくチームで行うファシリテーション型リーダーシップが主流となっていくでしょう。

＊

力と愛、貢献とつながり、水平と垂直の2極の間を交互に行き来しながら、正義、平等、変容へと向かうこの変容型ファシリテーションの理論と実践を読んで、私自身目から鱗が落ちる感覚を覚えました。ファシリテーションの現場での悩みや課題を的確に言い表しているだけでなく、カヘンの示す指針が、これまでに学んできた内面や在り方の変容こそ肝要だというリーダーシップ開発の実践と合致し、統合できるものだったからです。

カヘンは、注意の払い方こそが鍵であると語ります。自らの内面に対して意識的であると共に、それをより有効にするために、周囲に対して共感と俯瞰をもってきめ細かに観察し、メンバーと場の奥底にある神聖な声と可能性の兆しに耳を傾けることが、私たちの実践を高めてくれることでしょう。

ファシリテーションの達人であるアダム・カヘンの、洞察と先見性に満ちた理論、そして惜しみなく提供された実践と学習のストーリーと極意を読み進めてください。本書が、人と人のコラボレーションを通じて、よりよい未来を築こうとするすべての人たちに役立つことを願っています。

２０２２年12月

小田理一郎

共に変容するファシリテーション　目次

序章　「あなたは神秘の出現に対する障害を取り除いている！」

第1部　変容型ファシリテーションの理論

第2部　変容型ファシリテーションの実践

エドガー・シャインによる序文

本書の鍵は、「**ブレイクスルー（行き詰まりを突破する）**」という言葉である。アダム・カヘンは、世界各地での力強い体験談をもとに、組織やより大きな社会システムの中で、複雑さや対立に行き詰まったグループと、彼と彼の同僚たちがどのように関わってきたかを教えてくれる。本書は、変容型ファシリテーションによって、そのようなグループがいかにして行き詰まりを解消し、前に進むか、つまり共有するゴールに向かって協働して進展していくかについて、深い洞察を与えてくれる。

同時に、本書は、共有ゴールというものの本質について強く訴えている。共有ゴールとは、愛、力、正義を互いに高め合い、支え合うように共に生きることを学ぶことである。このファシリテーションがいかに困難なものかがわかる。ファシリテーターが用いるさまざまな戦略や戦術を読んでいても、ファシリテーションで扱うのは単純な問題解決ではなく、複雑な課題に取り組む支援であることを常に思い知らされるのだ。

コーチ、コンサルタント、教師、セラピストなどの専門家は、個人やグループが行き詰まり、助けを必要とする無数の状況に対して、さまざまな種類のファシリテーションを進化させてきた。ファシリテーションに共通するのは、第三者を必要とすること、そして、第三者が自らの行動や介入によって当事者が前進できるような「器、鎮められた状況、文化の島」を作り出すプロセスであることだ。

ファシリテーションの方法にはさまざまな理論があり、ファシリテーターによって取り組むグループの問題もさまざまだ。そこで、カヘンのアプローチは他とはどこが違うのか、そしてその違いがなぜ今日の複雑で対立し、相互依存する世界において重要なのかを明らかにすることが重要になる。


本書の特徴は何だろうか？

まず、特筆すべきは、著者が第三者として、深刻な行き詰まりに陥ったグループと協働した経験が豊富であることだ。彼が成し遂げたこと自体という意味でも、彼のファシリテーションに対する特別なアプローチの重要性を他の人が理解し評価できるように物語る能力があるという意味でも、ユニークだと言えよう。

第2に、ファシリテーションとは、コンサルタントがグループミーティングで導入する巧みな介入ではなく、一人または複数のコンサルタントがステークホルダーたちのパートナーとなって信頼とオープンな関係性を築き、当事者が互いに向き合い、お互いを知り、共に前に進むのに十分な信頼を築ける安全な場所を組織するという数年にわたるプロセスとなりうること、またしばしばそれが必要になることを本書は示している。こうしたプロセスのすべてには、変容の障壁を特定し、取り除くためのイノベーション、実験、そして機敏さが必要だ。

第3に、本書で紹介するファシリテーションは、製品開発やマーケティングの問題に行き詰まったグループだけでなく、歴史的ルーツを持ち、それゆえに一緒に集まること、まして第三者の関与を許すほどにお互いを信頼することに強い抵抗を示すような政治的、経済的対立の根深いグループをも対象としている。

第4に、カヘンの変容型ファシリテーションは、クルト・レヴィンの社会変革の基礎となる哲学の2つの側面を発展させた素晴らしい模範である。つまり、グループを行き詰まりから解き放つことが不可欠となる重要な社会課題に取り組んでおり、かつそれを教師（ファシリテーター）と生徒（クライアント）が必要に応じて創造的に役割を組み合わせながら行き詰まりから解き放つ体験学習モデルを通じて行っているのである。1940年代後半のこのような活動は、当初、米国メイン州ベスルや英国のタビストック・クリニックの人間関係研究所から発展し、ドン・マイケルなどの未来学者の重要な活動と組み合わされた。[1]

1~2週間のラボでの介入として始まったものの多くは、グローバルな組織やコミュニティの中での複数年にわたるプロジェクトへと発展していった。これらのプロジェクトに共通するのは、当時「アクションリサーチ」と呼ばれ、ほとんどの場合介入はクライアントのシステムと第三者である介入者の間で共有されるプロセスとして定義されていたことだ。私たちは今、経験学習を当たり前のことと考えているが、このモデルがいかにまだ新しいものであり、そして深い対立を解決するためには、これまで以上に経験学習が求められることを忘れてしまっている。本書は、経験学習の根本原理の側面を、現在のグローバル規模の問題、とりわけ気候変動という人類の生存に差し迫った危機にどう対処するかをめぐる多国間競争の問題に適用する重要な模範例となるであろう。

カヘンが伝えるストーリーには、第三者による介入がいかに進化しているかを実感させられる。本書で紹介されている変容型ファシリテーションには、グループダイナミクスの研究や私のプロセス・コンサルテーションで培われてきたことの要素が見られる。センゲの「学習する組織」、ハイフェッツの「適応型リーダーシップ」、初期のラボで体験学習に始まり、ブッシュとマーシャクの「対話型組織開発」で再び確認された「オープンシステム重視」と「探究心」、そして最近ではシャーマーの「U理論」などだ[2]。この分野の歴史は、変容型ファシリテーションを、単一の定型的なファシリテーション手法ではなく、はるかに広く深い実践の集合として考えるよう、私たちを誘う。本書が強力なのは、簡潔で美しく表現されたモデルの中で、カヘンがこれらのすべてをまとめているからである。

カヘンのモデルは、ファシリテーションを単にコンサルタントがクライアントと対話する相互コミュニケーションスキルから著しく進歩させている。必要に応じてフォーマル、インフォーマルな手法を使い分けながら、対立する当事者たちが対立を解消するための新しい社会システムや文化の島を創造しマネジメントするためのものとして位置づけているのだ。従来の両極の考え方を基礎としながらも、よりダイナミックな方法での介入をいかに考えるかについて創造的で流動的な概念モデルを提供している。コンサルティングやコーチングを経験したことのある人の多くは、カヘンが説明するような困難な状況でどのように仕事をすればよいのか、ましてやこの仕事を可能にするような「器」をどのように作ればよいのか、見当もつかなかっただろう。

おそらく最も重要なのは、カヘンのストーリーとそれをもとに整理した彼の概念モデルをたどると、そもそも対立を引き起こす原因となる深い価値観や動機付けの問題に直面することだろう。つまり、（1）達成したいという強力なニーズ（「力」という動機をどう表現するか）、（2）協働して共に生きるというニーズ（「愛」という動機をどう表現するか）、（3）これらを公平に行うというニーズ（「正義」をいかに体感するか）という3つの強力なエネルギーを統合することの失敗に直面するのである。

この勇気あふれる変容型ファシリテーターが、力と愛と正義を結びつけるために何をしたのか、ぜひ本書で確認してほしい。

2020年12月

エドガー・H・シャイン
MITスローン・スクール・オブ・マネジメント名誉教授

【著書】

『プロセス・コンサルテーション――援助関係を築くこと』
（稲葉元吉訳、尾川丈一訳、白桃書房、２００２年）

『人を助けるとはどういうことか――本当の「協力関係」をつくる７つの原則』
（金井壽宏監訳、金井真弓訳、英治出版、２００９年）

『問いかける技術――確かな人間関係と優れた組織をつくる』
（金井壽宏監訳、原賀真紀子訳、英治出版、２０１４年）

まえがき

共に前に進むことはますます一筋縄ではいかなくなっている。

多くの文脈で、人々はますます複雑化し、ますますコントロールが効かなくなる状況に直面している。そして、より多くの人と、より多くの隔たりを越えて協働する必要がある。これは、組織内でも、より大きな社会システムの中でも同じだ。

そのような状況では、ある人が他の人に指示命令を出す、あるいは全員が自分のやりたいことだけやるといった単純で当たり前な進め方は通用しない。

では、どうすればいいのか？

一つの良い方法がファシリテーションだ。グループのメンバーたちが違いを越えて協働し、変化を創り出す支援をすることだ。ファシリテートという言葉には「容易にする」という意味がある。ファシリテーションによって、グループはより容易に、より効果的に協働することができる。しかし、複雑性が増し、コントロールが低下している多様なメンバーによるグループにとって、最も一般的なファシリテーションのアプローチ――上司のように上位から垂直型に指示を出すやり方や、仲間として水平型に寄り添うやり方――は、適切とは言えない。こうした一般的なアプローチでは、参加者はしばしばフラストレーションを抱え、ブレイクスルー（行き詰まりを突破すること）を切望することになる。

本書では、そのようなブレイクスルーを促進するための非凡なアプローチである「変容型ファシリテーション」について解説する。このアプローチは、「人々が公平に貢献し、つながること」を阻む障害を取り除くことに重点を置いている。より根本的には、愛、力、正義を阻む障害を取り除くことに焦点を当てているのだ。人々が自分自身のすべてをもって、違いを創るために打ち込むことを可能にする。それは、状況を進展させるために人々の可能性を解放する方法だ。

変容型ファシリテーションは、親分風を吹かせる垂直型のアプローチと、上下関係のない水平型アプローチのどちらかだけを採用するものではない。その間を行き来して循環しながら（直線的ではなく）、5対の外側の動きと5つの内面のシフト（巻末の表「変容型ファシリテーションの全体像」に要約）を採用するのだ。そうすることで、垂直型と水平型のどちらか一方だけよりも、良い結果をもたらす第3のアプローチを創り出す。変容型ファシリテーションは、多様なメンバーによるグループが障害を取り除き、隔たりを埋め、共に前に進むのを助ける、構造的かつ創造的な方法である。それによって、ブレイクスルーを可能にするアプローチなのだ。

本書は、リーダー、マネジャー、コンサルタント、コーチ、議長、主催者、調停者、利害関係者、友人など、ブレイクスルーを促進したいと願うすべての人のためのものである。ファシリテーターとは、窓のない会議室やテレビ会議の画面にいる、真面目でエネルギッシュなプロフェッショナルだけを指すのではない。研修や戦略的計画を立てるためのワークを運営する者、レフェリーやタイムキーパーだけを指すのでもない。対面でもオンラインでも、プロでもアマでも、チームのリーダーでもメンバーでも、組織でもコミュニティでも、小さな同盟でも大きな運動でも、1回の会議でも長期にわたるプロセスでも、人々が状況を変容するために協力し合うことを助ける人なら誰もがファシリテーターである。ファシリテーターとは、変化を創造するためにグループが協働することを支援するあらゆる人のことを指すのだ。

本書は、人々が共に前に進むためにファシリテーションができる貢献について、幅広く大胆なビジョンを示している。

私の変容型ファシリテーションに対する理解は、私自身の実体験に基づくものだ。私は30年以上にわたって、プロのファシリテーターとして世界中で活動してきた。企業、政府、市民社会の人々が協働して最も重要かつ困難な課題に取り組むことを支援する国際的な社会的企業、レオス・パートナーズ社の共同設立者でもある。これまで、組織の戦略や日常的な運営を変えようとするチームや、セクターや社会全体を変えようとする組織横断的なグループ（お互いに賛同できない、好きではない、信頼していない人たちも含む）のために、何百ものプロセスのファシリテーションを行ってきた。そのなかで多くの試行錯誤の機会と、多くの学びの機会を得てきた。

本書は、これらの経験から私が学んだことを報告するものである。グループ・プロセスの研究の先駆者であるクルト・レヴィンは、「優れた理論ほど実践的なものはない」[1]と言っている。本書はファシリテーションの新しい一般理論と実践を提供するものである。

序章

「あなたは神秘の出現に対する障害を取り除いている！」

"You Are Removing the Obstacles to the Expression of the Mystery!"

変容型ファシリテーションは、変容をもたらすために人々が協働することを支援する今までにない力強いアプローチである。私は何十年もファシリテーターをしてきたが、このアプローチの独自性や重要さの核心が何かに気づいたのは、2017年11月のコロンビアでのワークショップのときだった。本書はそのワークショップで着想を得たものである。

ブレイクスルーとなるワークショップ

陽の降り注ぐ田舎の小さなホテルのレストランで、元ゲリラ軍指揮官と裕福な実業家の女性が互いに名前を呼び合って挨拶をしている。ワークショップの主催者は、2人に面識があることに驚きを示した。女性実業家は説明する。「ゲリラ軍に誘拐された人質の身代金を持参したのが初対面でした」。元ゲリラ指揮官が付け加える。「私たちがこの会議に出席しているのは、何人たりとも二度とそのようなことをしなくてすむようにするためです」

変容型ファシリテーションは、こうしたブレイクスルーを可能にする。

このワークショップでは、多様なグループのリーダーたちが集まり、自国の変容に貢献するために何ができるかを話し合った。その17カ月前の2016年6月、コロンビア政府とFARC（コロンビア革命軍のスペイン語頭文字）運動は、52年にわたる戦争を終結させる協定に署名した。その戦争では、数千人が誘拐され、数十万人が殺害され、数百万人が住む場所を失った。

2016年10月、フアン・マヌエル・サントス大統領は、この長年の苦闘の成果を認められ、ノーベル平和賞を受賞した。サントス大統領は、協定を履行するために設置された機関の一つである「真実・共存・不再戦を明確化するための委員会」の委員長に、フランシスコ・デ・ルーを任命した。彼はコロンビアのイエズス会元総長で、平和仲裁人として知られる人物だ。何十年にもわたり、いがみ合ってきたコロンビア人は今や、大きな混乱と不安の中で、より良い未来を築くために打開策を講じ、協働し合おうとしていた。私たちのワークショップもその取り組みの一環であった。

2017年1月、問題を抱える同国南西部で、2人の公共心に富むリーダー、エリート層とつながりのある実業家マヌエル・ホセ・カルバハルと、草の根層とつながりのある教授マヌエル・ラミロ・ムニョスが、南西部地域の社会と経済の再建に貢献するプロジェクトを組織することを決めた。この地域のすべてのステークホルダーを代表するリーダーたちを集めようという企画だった。ステークホルダーは、地域の未来に利害があるがゆえに、より良い地域にしていくことに関心を持つすべての人たちである。

カルバハルは20年前に私と一緒に仕事をしたことがあって、私の仕事ぶりを知っていた。そして、彼とムニョスは、この新しいプロジェクトをファシリテートするための支援をレオス・パートナーズに依頼したのである。私たちは、さまざまな分野から40人の有力者を選定し、彼らの参画の調整を支援した。さまざまな政党の政治家、元ゲリラ軍指揮官、実業家、非営利団体の責任者、地域活動家など、協働すればこの地域に真の変化をもたらすことができる人たちだ。また、1年に及ぶプログラムの準備も支援した。まず、一連のシナリオ、すなわち、将来起こりうることについて、次いで、一連のイニシアチブ、すなわち、より良い未来を築くために何を行うかについて、話し合うプログラムだ（その後数年間で、このグループのメンバーは増え続け、地域に与える影響も大きくなっていった）。

２０１７年11月、このグループの最初のワークショップが3日間にわたって山間のホテルで開催された。フランシスコ・デ・ルーが姿を見せてくれたことを嬉しく思った。彼とは以前にも会ったことがあり、精力的で興味深い人だと感じていた。私は彼に、なぜ国の重要な責務から時間を割いて、この地域のイベントに参加したのかと尋ねると、彼は、私たちがどのように多様性をまたがるコラボレーションを可能にしているのか知りたいからだと答えた。

ワークショップ初日の朝、参加者たちは緊張していた。彼らの間には、政治的、思想的、経済的、文化的に大きな違いがあり、この地域で起こったこと、起こるべきであることについても、大きな意見の相違があった。中には敵対する者同士もいた。多くの人が強い偏見を持っていた。ほとんどの人がそこにいることに身の危険を感じていた。ある政治家は、敵と一緒に座っていることを知られたくないので、写真は一切撮ってほしくないと主張した。それでも、全員がその場になんとか集まったのは、この取り組みがより良い未来の構築への貢献となることを願ってやまなかったからである。

私たちのファシリテーション・チームは初日のアジェンダを、構造化した一連のアクティビティの形で設計し、参加者がお互いを知り、何が起きているのか、そして、それについて何ができるのかに関するお互いの視点を理解できるようにした。最初のアクティビティでは、輪になって座り、タイマーで時間を計りながら各自が1分間の自己紹介をした。その後のアクティビティも、的確でバラエティに富んでいた。全員で集まって行うものもあれば、2人や4人、6人のグループに分かれて行うものもあった。参加者たちは、付箋紙やフリップチャート、ブロック玩具などを使って、考えを共有し、まとめた。会議室やレストランに集まったり、時にはホテルの敷地内を共に歩いたりした。ファシリテーション・チームは、ワークショップの場の準備や、ワークの説明、全員が参加できるようにするための支援など、これらのアクティビティをきめ細かにサポートした。

長い初日が終わるころには、参加者たちはリラックスし、何か有意義なことができるのではないかという希望を抱き始めていた。参加者の一人は、「ライオンが子羊と一緒に横たわるのを見て」驚いたと言った。そして、夕食に行くために全員が立ち上がったとき、デ・ルーが興奮した様子で私のところに駆け寄り、こう言った。「あなたのやっていることが今わかりました! あなたは神秘の出現に対する障害を取り除いているのですね!」

デ・ルーが何か彼にとって重要なことを言っていることはわかった――カトリック神学では、「神秘(Mystery)」とは不可解な、知りえない神の神秘を指す。だが、それがワークショップで私たちが行ってきたことに関して何を意味するのか、私には理解できていなかった。私たちは夕食を共にしながら、長い時間会話を続け、彼は根気よく世俗的な説明を試みてくれた。「すべては神秘の出現なのです。しかし、それを予測したり、誘発したり、計画したりすることはできません。ただ現れてくるものなのです。重要な問題は、私たちがこの神秘の出現を妨げてしまうことです。特に、恐怖心から自分自身を壁で防御しているときには」

私にとってこの会話は興味深くも、困惑するものでもあった。私が「あなたが言うようなことをしている自覚はありません」と言うと、彼は肩をすくめてこう言った。「たぶん、それが一番いいのです」

私はデ・ルーの暗号のような言葉に興味をそそられた。ここでいう神秘（Mystery）とは、アガサ・クリスティーの小説のラストで解かれるようなミステリーを意味するのではなく、大切だけれども、目に見えない、つかめないものという意味で、本質的に神秘的なものだと理解した。もしかすると、それは重力のように、感じられるけれども目に見えないある種の力であり、障害を取り除くことができれば、私たちを前へと牽引してくれるものなのかもしれないと思った――渓流で転がってきた岩が流れをせき止め、水を八方へ散らしている状況で、その岩を取り除くことができれば、水はまとまりある、力強い流れとなって自由に下方へと流れ出すように。

障害を取り除く実践

デ・ルーの洞察のおかげで、私は長年のファシリテーターとしての仕事を新しい観点から捉え直すことができた。それまでの私を含め、ほとんどのファシリテーターは、自分の仕事を、参加者に何かをしてもらうことだという観点で語る。しかし実際には、私が共に取り組みを行ったほとんどの人たちは、互いの相違にもかかわらず、あるいは相違があるからこそ、協働したい、あるいは協働する必要があると考えていることに気づいたのだ。彼らは、協働が成功すると、大喜びする。つまり、本書で言う「変容型ファシリテーション」の本質は、参加者に一緒に取り組んでもらうことではなく、彼らが一緒に取り組む上での障害を取り除く支援をすることなのである。小川の水を掻き出したところで流れをつくることはできないが、障害物を取り除けば、勝手に流れていく。この気づきによって、私のファシリテーションに対する理解は一変した。

デ・ルーの洞察で特に興味深かったのは、神秘についての難解な言及ではなく、神秘の出現の障害を取り除くことに現実的な焦点を当てていたことだった。夕食後、私は部屋に戻り、この最初のワークショップに至るまでの何カ月もの間(私たちのファシリテーションの仕事は、10カ月前にプロジェクトを開始し、参加者たちにコンタクトした時から始まっていた)と、ワークショップの初日の間で、この地域の変容のためにリーダーたちが協働する上での障害を取り除くことを狙いとしていたと解釈できるすべての行動をリストアップしてみた。

それによって浮かび上がったのは、私たちが共に前に進むために不可欠な3つの要素「貢献」、「つながり」、「平等」に対する障害を取り除いていたことである。

▽貢献に対する障害を取り除く

ファシリテーション・チームは、参加者たちが多様なアイデア、スキル、リソースを持ち寄り、共同のタスクに関わる機会を作ることによって、**貢献**に対する障害を取り除く支援をしていた。このプロジェクトの大きな目的の一つは、参加者が互いに支え合って、より良い未来を築くために、ワークショップの場だけではなく、それぞれの影響力のある領域でより効果的に行動できるようにすることであった。

すべてのコラボレーションには貢献が必要だ。人々が協働するのは、多様な参加者の多様な貢献を活かし、共通の目的を達成するためである。貢献したいと思っていても、制度的、政治的、経済的、文化的、心理的、物理的な構造によって、貢献することを妨げられたり、阻止されたりするのはよくあることだ。このような障害は、無力感や創造性、エネルギー、成長の抑制をもたらす。変容型ファシリテーションでは、こうした構造を解体し、参加者たちに力を与えることによって、参加者たちの貢献を可能にする変化を――グループがワークに取り組む場と、場合によってはグループを取り巻く場の領域でも――創り出すことに焦点を当てる。

▽つながりに対する障害を取り除く

コロンビアでは、参加者が互いを個人として知り、仲間として一緒に取り組む機会を作ることによって、**つながり**に対する障害を取り除いた。それによって、参加者全員が自分たちの取り組んでいる地域システムの全体像をより広く見られるようになり、また、そのシステムがこのグループ内でのやりとりにいかに現れるかも見えてきた。このプロジェクトの大きな目的の一つは、引き裂かれた社会という織物を縫い合わせるために、地域全体の人々のつながりに対する障害を取り除くことであった。

すべてのコラボレーションにはつながりが必要だ。多様性を活かすには、包摂と帰属が求められる。人々が互いにつながっていなかったり、自分たちが取り組む状況や自分自身の思考、感情、意志とつながっていなかったりすると、人々の貢献は効果的なものにはならない。ほとんどの人はつながりたいと思っているが、彼らを分離したり排除したりする構造がある。こうした障害があると、人々は疎遠になり、コミュニケーションや連携、人間関係が弱まる。変容型ファシリテーションは、こうした構造を解体することによってつながりを可能にすることに焦点を当てる。

▽ 平等に対する障害を取り除く

最後に、コロンビアでは、プロジェクト内で平等主義に根ざし尊重し合う文化を作ることによって、**平等**に対する障害を取り除いた。誰かが優位な立場に立つことなく輪になって座る、全体セッションでもグループセッションでもアクティビティでも、全員に貢献する機会を平等に与える、プロジェクトでの決定を透明かつ民主的に行う、といったことだ。このプロジェクトの大きな目的の一つは、地域でより平等な貢献とつながりを生み出すことだった。そういう意味で、このプロジェクトは、根本的に従来とは異なる在り方や共同で取り組む方法を実践した、目に見えやすく影響力のある実例である。英語では「coexistence（共生）」という言葉を用いて、そのような平和な状況を表すが、スペイン語では「convivencia（共同生活）」という。カップルのように、あらゆる可能性と緊張を伴って一緒に生きていくという、よりダイナミックな意味合いを持つ言葉だ。

すべてのコラボレーションには平等が必要だ。平等でなければ、貢献とつながりが制約されるだろう。多くの人が貢献とつながりが包摂的で公平であることを望んでいるが、世の中には特定の人に向けて他の人より多くの自由や特権、権力を与える構造がある。その結果、ある人たちは他の人たちよりも貢献したり、つながったりする機会が少なくなり、それがコラボレーションの妨げとなる。変容型ファシリテーションは、このような構造を解体し、それによって平等を実現することに焦点を当てる。

変容型ファシリテーションの一般理論と実践

変容型ファシリテーションは、変化を創造するために人々が協働することを支援する力強いアプローチである。コロンビアで行われた類まれなプロセスにおけるファシリテーションの話を紹介したのは、それがこのアプローチを鮮やかに表現しているからだ。また、私自身が、貢献、つながり、平等に対する障害を取り除くという変容型ファシリテーションの本質を理解し始めたのがこのときだったからである。

コロンビアでは、地域全体から集まったリーダーたちがその地域の課題に対処するために共同で取り組むことを支援するのに、このアプローチを用いた。変容型ファシリテーションは、ほかにもさまざまな場面で力を発揮するものだ。レオス社では、世界各地でこのアプローチを用いて、あらゆる課題に共同で取り組むあらゆるグループを支援してきた。新市場への参入計画を策定するメキシコの小売企業のマネジャーたち、緊急の学資援助制度を再設計する米国の大学運営者たち、人々の健康を改善する新しい戦略を策定するカナダの先住民リーダーたち、低炭素エネルギー・システムの実装をするオランダの地域住民たち、汚職を減らす仕組みの構築をするタイのビジネス関係者たち、そして持続可能な食品サプライチェーンの構築をする世界各地の食品会社、農家、非政府組織などである。

変容型ファシリテーションは、変化を創造するために人々が協働することを支援する、応用分野の幅広いアプローチだ。

変容型ファシリテーションの活用場面

変容型ファシリテーションは、次のような場面で人々の協働を支援することができる。

- 異なる組織での異なる経歴と異なる立場から人々を集め、それによって直面する状況に対して、異なる視点、関心、懸念、願望を持ち寄るとき。
- 少人数または大人数のグループ、チーム、部門、委員会、タスクフォース。
- 企業、政府機関、教育機関、医療機関、財団、非営利団体、近隣・地域団体などあらゆる種類の組織において、また組織横断的あるいはマルチステークホルダーの連携において、組織的、経営的、文化的な内部の課題に加え、ビジネス、経済、政治、社会、環境といった外部の課題など、あらゆる種類の課題に対処するとき。
- 地域、地方、国、国家間のあらゆる規模。

変容型ファシリテーションとは何か、そして何ではないのか

変容型ファシリテーションは、グループが協働することを支援するための今までにないアプローチである。コラボレーションの目的や目標は何か、誰がどんな役割で参加するのか、どんなプロセスを用いるのか、どんなリソースが必要なのかといったことを検討し、実際に進めるなかでこれらの要素をすべて見直し、修正していく。

変容型ファシリテーションが何であり、何ではないかは、以下の通りだ。

- **単に会議室で正面に立ったり、ビデオ会議で画面の真ん中に映ったりして議事進行することではない**。会議の前、会議中、会議の合間など、人々が共に前に進むための支援に関わるすべての活動が含まれる。
- **定まった継続期間があるプロセスではない**。数時間の場合もあれば、数年続く場合もある。
- **マニュアルがあるものではない**。グループと一緒に取り組み、一度に一歩ずつ、何をすべきかを見つけていく方法である。
- **個別的・限定的な方法論ではない**。どんな協働の変化の方法論とも併せて用いることが

できるアプローチである。

- **第三者がグループを前進させたり、前進の後押しをしたりする方法ではない。**グループ自ら前進する上での障害を取り除く方法である。
- **私が考案したアプローチではない。**多くの優れたファシリテーターたちが部分的、暗黙的に用いているアプローチであり、私は本書でその全体を明示的に描いているにすぎない。

変容型ファシリテーションを行うのは誰か

基本的なことを強調すると、変容型ファシリテーションはファシリテーターによって進められるものである。ファシリテーターの役割——たいていの場合、数人のファシリテーターのチームがこの役割を手分けして行う——は、戦略立案、組織化、設計、指示、調整、文書化、コーチング、あるいはその他の方法で、協働している人々の取り組みをサポートすることだ。

一般的に、ファシリテーターは、そのグループがたどる**プロセス**の責任を引き受けることによってグループをサポートし、グループ自身が取り組みの**コンテント（内容）**の責任を引き受けることができるようにする。重要なのは、グループが自分たちのやりたいことを決め、ファシリテーターはそれをサポートするということである。しかし、この責任の分担は常に明確であるとは限らない。多くの場合、グループはプロセス面に意見を述べる必要もあるし、時として、ファシリテーターがコンテント面に関与し、コンテントについて関連する視点を提供する場合もある。

ファシリテーターの役割は、一時的であれ継続的であれ、人々が変化を創造するために協働することを、支援する意思と能力を持つ人であれば、誰もが担うことができる。以下のどの場合でもファシリテーターとなりうる。

- プロフェッショナルでも、アマチュアでもよい。
- この役割を任された人でも、自ら進んで役割を担う人でもよい。
- リーダー、マネジャー、スタッフ、ボランティア、主催者、議長、コンサルタント、コーチ、仲介者、あるいは友人など。
- 身近な取り組みに利害関係のある人でも、利害のない公平な立場の人でもよい。
- 協働しているグループ内のメンバーでも、グループ外の人でもよい。

本書の使い方

本書は、こうした取り組みに関わるすべての人たち、つまり、ファシリテーター、彼らがファシリテートしている協働者、こうしたコラボレーションを始める人やその資金援助をする人、ファシリテーションを学ぶ人や教える人などに向けて、ガイダンスを提供するために書いた。コラボレーションに関わるすべての人が、変容型ファシリテーションの理論と実践を理解することの恩恵を受けることができるだろう。

本書は、前著を基盤としながらも、さらに発展させたものである。『手ごわい問題は、対話で解決する』（ヒューマンバリュー、2008年／2023年に英治出版より新訳版発行予定）と『敵とのコラボレーション』（英治出版、2018年）では、多様なグループ、たとえ互いに賛同していなかったり、好きではなかったり、信頼していなかったりするグループでも、最も重要な課題に取り組むために協働できる方法を解説している。この新しい本では、そのようなグループをサポートするためにファシリテーターがすべきことを説明する。グループではなくファシリテーターの仕事に焦点を当てたものだ。

『社会変革のシナリオ・プランニング』（英治出版、2014年）では、未来を形成するために協働する方法論の一つ、変容型シナリオ・プランニングについて解説した。本書で紹介するアプローチは、この方法論はもちろん、他の方法論を用いるグループを支援するためにも採用できる。例えば、アプリシエイティブ・インクワイアリー、創発戦略、フューチャー・サーチ、オープン・スペース・テクノロジー（ＯＳＴ）、ソーシャル・ラボ、Ｕ理論などにも活用できる。[1]『未来を変えるためにほんとうに必要なこと』（英治出版、２０１０年）では、変化を起こしたい人は、自己実現へと駆り立てる力《パワー》だけでなく、再結合へと駆り立てる愛《ラブ》を用いる必要があることを説いた。本書では、このパズルに欠けているピースを埋めている。つまり、力と愛を実現する構造である正義《ジャスティス》を用いる必要性も説いているのだ。力、愛、正義は根本的な原動力であり、貢献、つながり、平等として現れる。ファシリテーションでは、この３つの原動力すべてを用いなければ、変容を実現することはできない。このことは、冒頭のコロンビアのストーリーの紹介に始まり、結論で十分に詳述するまで、本書全体を貫くテーマの要諦なのである。

本書は具体的なワークショップの進行プログラムやワーク、チェックリストを提供するものではない。そういったものはすでに多くの優れた書籍で提供されている。[2]代わりに、具体的な事例とそこから導かれる一般原則を通して、ファシリテーションに対する変容型アプローチの５つの要素と、このアプローチを実行に移せるようにするためにファシリテーターに必要な外側の動きと内面のシフトの５つの組み合わせについて説明している。私が語るストーリーは、自分自身のファシリテーションの実体験と、そこから学んできた教訓である。これらの経験の一部は、以前の著書に別のテーマで書いたことがあるものだが、本書で重視しているのは、新しいストーリーを語ることではなく、新しい教訓を引き出すことにある。

紹介する事例は、時系列に並んでいない。変容型ファシリテーションの課題は線形に生じるものではなく、繰り返し発生し、行き来しながら答えを出さなければならないものだからだ。コロンビアの事例のようにストーリーの多くは、私が初めてそのグループのファシリテーションを行っていたときの経験に基づく。なぜならば、ファシリテーション上の課題はどれも、コラボレーションの始まりから発生し、最初に現れたときが最も明確になることが多いからだ。私自身の学びも直線的ではなかった。これらの課題への取り組みは一筋縄ではいかず、何度も同じ教訓を学ばなければならなかった。

本書の第1部では、なぜ変容型ファシリテーションが求められ、効果を発揮するのかを解説する。第2部では、このアプローチを実践する方法を説明する。結論では、より良い世界を創り出すために変容型ファシリテーションができる、より大きな貢献について論じる。

第1部
変容型ファシリテーションの理論

The Theory of Transformative Facilitation

変容型ファシリテーションは、人々が直面している状況を変容させ、協働できるように支援する力強いアプローチである。例えば、次のような場面で用いられる。全社的なチームで革新的な製品を上市する。教育委員会の役職者、教師、保護者、生徒たちが、人種間の平等性を高めるための対策を推進する。非営利組織の世界横断的なタスクフォースが、運営に関する一連の不祥事に対応し、組織の運営規範を見直す。医療機関の連合組織が、地域の人々の健康状態を改善するために、医療サービスの方向性を見直す。政治家、ビジネス関係者、コミュニティのリーダーから成るグループが地域経済を再活性化させるために協働する、などである。

私たちは、これらすべておよびそのほかの場面において、変容型ファシリテーションを取り入れてきた。そのなかでわかったのは、変容型ファシリテーションは、従来のファシリテーションや線形的な進め方とは一線を画する力強いアプローチであり、そしてこれまでのアプローチに比べて、多様な人々で構成されるグループが前進するのを効果的に支援できるものだということだ。

変容型ファシリテーションは、さまざまな組織のさまざまなグループに、あるいは複数の組織を横断するグループに適用できる。そうしたグループが直面するいかなる内部課題や外部課題を前進させるためにも適用できる。グループの全員が一緒に対面またはオンラインで協働するときでも、異なる時間や場所で協働するときでも活用できる。さらに、グループの協働を支援したい人なら、グループの内か外かを問わず誰でも用いることができる。

変容型ファシリテーションとは、一部の人だけの思い通りになるように強引に物事を進めるのではなく、多様な他者との協働を通じて変化を創造できるようにサポートする方法である。相反し、拮抗する従来の2つの手法――グループ全体が目的を達成できるように上から指示する、上意下達の垂直型と、グループの各メンバーがそれぞれの目的を達成できるように並走する、合議的な水平型――を組み入れながらも、それらを超越するという点で、今までにない方法だ。また、グループを前進させるように後押しするのではなく、前進の妨げとなるものを戦略的かつ組織的に取り除くことに重点を置くという点においても、今までになかった方法だと言えよう。

変容型ファシリテーションは、グループが従来の取り組みの制約要因を突破することを可能にし、それによってグループのメンバー自身およびグループが取り組む状況を変えるという点で、変容的なのだ。

この後の5つの章では、変容型ファシリテーションがどのように機能するのかを説明していく。

第1章

ファシリテーションは、変化を創造する人々の協働を支援する

ファシリテーションは、貢献、つながり、平等を活かし、人々が共に前に進むのを支援する方法の一つである。もちろん、人々が共に前に進むことを支援する方法は他にもある。熱烈に期待をこめる方法から、断固として強制する方法まで幅広く、さらにその両極の方法もあまたにある。励ます、鼓舞する、報酬を与える、おだてる、操作する、押しつける、などだ。こうしたファシリテーション以外の方法が有効な場合も時としてあるだろう。

ファシリテーションの必要性

ファシリテーションが必要となるのは、**人々が変化を起こすことを望み**、かつ、そのために

協働することを望んでいる場合だ。この2つの条件を満たすと、その人たちには協働しようという活力が湧いてくるので、ファシリテーターが彼らを**前に進ませる**ために活力を与える必要はない。ファシリテーターは、彼ら自身の活力によって前に進めるように**サポートする**だけでよいのだ。

▽人々が変化を起こすことを望んでいる

1つ目の条件を詳しく見ていこう。チームや組織、あるいは組織を越えた社会の中で、人々が変化を起こしたいと望んでいるということは、つまり、自分の置かれている状況が望んでいるものではなく、何かがうまくいっていない、あるいはもっと良くなるはずだと考えているということだ。この条件が満たされていない、つまり、人々が今のままでよいと思っているならば、今していることをただそのまま続ければよいので、ファシリテーションは必要でもなければ、有効でもない。私は以前、カナダの市民リーダーのグループでファシリテーションをしたことがある。彼らは国内の政治的な分断について懸念していたが、それをどうにかするには自分たちが厳しい変化を起こさなければならないことを察し始めると、現状で十分うまくいっている人たちの間でプロジェクトに対する活力がしぼんでいった。参加者たちが自分たちの状況を変えたいと望まない限り、ファシリテーションによる変化のプロセスがうまくいくことはない。

人々は直面している状況を、簡単であれ困難であれ、単に解決しなければならない一つの「問題《プロブレム》がある状況」としてとらえることがある。例えば、プロジェクトが遅れていて、作業の迅速化が必要なときがそうだ。一方で、人々は「問題の絡み合う状況《プロブレマティク》」に直面しているととらえる場合もある。つまり、さまざまな人が、さまざまな観点、さまざまな理由から問題が絡み合っていると考えていて、それに取り組むことはできるが、スパッと一件落着することはできない状況だ。例えば、オピオイド薬物問題による高死亡率は一例として挙げられるだろう。いずれの場合でも、人々が課題に直面し、それに取り組みたいと思っていれば、この1つ目の条件は満たされることになる。

▽人々が協働を望んでいる

2つ目の条件である、人々がその課題に取り組むために協働を望んでいるということは、つまり、自分たち単独で、あるいは他者を強制的に引き込んで、その課題に取り組むことはできない（あるいはそうしたくない）ということである。この条件が満たされていない場合、つまり、単独で行動する方が良いと考えている場合も、ファシリテーションは必要でもなければ有効でもない。私はいくつか、スタートから頓挫したコラボレーションに関わったことがある。その原因は、状況に関わる人々の多くが、自身単独か身近な仲間たちのみで行動した方が、自分たちの求める変化をもっとうまく生み出せると考えていたことにあった。そう考えた理由は、自分が権力を持っているからか、あるいは自分たちの自主性を重要視しているからかのどちらかだった。ファシリテーションによる変化のプロセスは、必要な参加者たちが協働しようと思わなければ、始まることも、うまくいくこともない。

コラボレーションは容易で楽しいときもある。それは、関わる人々が物事を同じようにとらえ、お互いのことが好きで、信頼し合っている場合だ。親しい同僚で構成されるチームでは、このようなケースもあるかもしれない。しかし、多くの場合、所与の課題に対処できるようになるために協働しなければならない人々は、異なる立場、視点、力の源を持っている（これらの差異は、多くの状況が単に「問題がある」のではなく、むしろ「問題の絡み合う」状況であることの一因だ）。こうした他者の中には、同意できない、好きではない、信頼できない人がいることもあるだろう。例えば、ビジネス上または政治上のライバルとの連携がそれに当たるかもしれない。いずれの場合も、人々が多様な他者と協働する必要があると考えていれば、この2つ目の条件は満たされる。

組織でのファシリテーション

組織でファシリテーションがしばしば必要とされるのは、これらの2つの条件が満たされることが多いからだ。つまり、組織の人々は変化を起こしたいし、そのために同僚と協働したいと思っている。これは、大小の企業、教育機関、医療機関、政府機関、政府間機関、財団、非営利組織、地域団体など、あらゆるタイプの組織で言えることだ。そのため、こうした組織の人々が、ファシリテーションとファシリテーターを必要としていることは多い。

私がファシリテーターを最初に行ったのは、多国籍エネルギー企業であるシェルのグローバル・プランニング部門に在籍していたときだ。シェルは100カ国以上で石油、ガス、石炭、化学製品、金属などの事業を展開していた。この会社全体で、経営陣は、市場状況、政府や地域社会との関係、人材育成をはじめとする日常的な課題から卓越した課題まで、あらゆる種類の問題の絡み合う状況に直面していた。企業文化として参加と討論を奨励していたため、経営陣はこれらの課題への対処方法を考え出すために、ファシリテーターのいるチーム・ミーティングやワークショップ、リトリートなどを頻繁に開催していた。ファシリテーターは、通常は同じ部署の人が務めたが、社内の別の部署（グローバル・プランニング部門など）の人に任せる場合もあり、時折、大学やコンサルティング会社から招くこともあった。

組織が存在する理由は、ある使命を達成する上で生じる課題に取り組むために、人々を団結させることである。多くの組織では、そのような課題に対処する方法として、**強制**が既定《デフォルト》になっている。部下が賛同しようがしまいが、上司が必要なことを決定し、それを実現するのだ。そして、多くの場合、人々は**適応**を選ぶ。自分が合意できないことに従うのは、その状況を変えられないと考えているためである。また、人々は**離脱**を選ぶ場合もある。現状は好ましくなく、変えることもできず、かといって我慢する気にはなれないために仕事を辞めるのだ。しかし、こうした3つの一方的な選択肢だけでなく、人々は多角的な選択肢を選ぶこともよくある。協調的かつ創造的に物事を成し遂げるために、組織のチーム・部門内で、あるいは部署を超えて**協働**するのだ。ファシリテーションは、変化を創造するために人々が協働を望むときに必要となる。

ファシリテーションはさまざまな形態をとることができる。1時間の会議でも、数日間のワークショップでも、対面でも、オンライン会議でも、全員集まっても、異なる個人やグループが異なる時間に異なる場所で異なる活動を行っている場合でも、協働はできる。どのような形であれ、ファシリテーターの役割は、より効果的に変化を生み出せるように、グループがより公平に、つながりあい、貢献するのを支援することである。

レオス社では、さまざまな種類の組織で、必ずその組織内の責任者やスタッフたちと連携をとりながら、ファシリテーションを行っている。例えば、政府の新しい規制に対応するために戦略を変更しようとする、化学製品会社の経営者たちを支援した。混雑に身動きできない病院のシステム部門のスタッフの支援もした。財団のリーダーたちが、地政学的な変化を踏まえて、グローバルな活動の優先順位を決めることを支援した。いずれのケースでも、さまざまなグループが問題の絡み合う状況に直面し、その状況を変えるために協働したいと考えていたゆえに、ファシリテーションが必要だったのだ。

組織を越えたファシリテーション

ファシリテーションは、組織を越えて、つまり、多様な種類の組織が数多く関わる、より大きなセクター、コミュニティ、社会において必要とされることも多い。

私が初めて経験した組織を越えたファシリテーションは、まだシェルの社員だった頃、南アフリカの政治家、実業家、労働組合員、コミュニティの活動家、学者から成るチームに招かれたときだった。彼らは、アパルトヘイトから民主主義への移行についてじっくり検討するために、シェルのシナリオ・プランニング手法を適用したいと考えていた（「モン・フルー・シナリオ演習」というもので、これについては第6章で語る）。南アフリカには、伝統的な**lekgotla（レコートラ／ソト語で「村の集会」の意）**から、大衆政治運動、一か八かの労使交渉、企業の**bosberaads（ボズベラード／アフリカーンス語で「森の中や狩猟牧場で開かれる会議」の意）**に至る幅広い場面で、さまざまな種類のファシリテーションを取り入れてきた豊かな歴史がある。私は、ファシリテーションに関する多くの知識を南アフリカの人々から学んだ。

組織を越えたファシリテーションは、組織内で行うものに比べてより一筋縄にはいきにくくなる。なぜなら、より大きな社会システムから集まる参加者はより多様であり、より異なる見方から問題の絡み合う状況を見ているからだ。このような状況には、当然、力の重心が複数存在し、したがって、変化をもたらすにはより多くの人々が参加する必要があり、参加者たちは協働したいのか、協働できるのか、定かでない場合が多い。このような組織横断的な文脈では、ファシリテーターがコラボレーションに必要な構造を構築するためになすべき仕事は、単一の組織内での仕事よりも多くなる。同時に、組織横断的なコラボレーションは、それまでめったに、あるいはまったく協働する機会がなかった人々が協働するのを支援するため、ブレイクスルーが起こる可能性も大きくなる。

冒頭に紹介した、私たちがコロンビアでファシリテーターを務めた組織横断的なプロジェクトでは、プロジェクトの主催者がその地域に変化をもたらしたいと願い、そのためには地域の社会・政治・経済・文化のシステム全体の、リーダーたちが積極的に参加しなければならないだろうと考えた。だからこそ、政治家、元ゲリラ、実業家、慈善家、研究者、活動家、農民、黒人や先住民の指導者たちが参加したのだ。参加者たちは地域のシステムの中で多くの異なる立場にあったゆえに、一緒に取り組むことによってシステムを理解して影響を与えうる能力は、どの参加者の単独の力よりも大きなものになった。

参加者の誰もが、この地域は問題が絡み合っている状況だと考えていたが、その視点は多様であった。和平合意の履行が困難であることが最大の懸念とする者もいれば、コミュニティの安全、インフラ、汚職、土地の所有権、先住民の権利、貧困を懸念する者もいた。そのため、ほかの参加者がどのように状況をとらえているかを互いに理解するだけでも数日がかかり、何が最も重要で何をなすべきかに合意するのには、さらに長い時間を要した。

参加者の中には、この地域で起きてきたことに対し、強制によって、すなわち権威や金や銃を用いて、対処しようとしてきた人たちもいた。その他の参加者の多くは、起こっていることを変えることはできないと考えていたため、できる限り前向きに生きるために適応しようとしてきた。この国から完全に離脱、移住をしようとする人たちもいた。このワークショップへの参加を選んだ人たちは、これら3つの一方的な選択肢では状況に対処しきれないと考えたため、4つ目の選択肢である多角的に協働することを試そうと集まったのだ。

私たちは、組織横断的なシステム内のこうした多様なグループで数多くファシリテーションをしてきた。例えば、実業家、労働組合のリーダー、政府の規制当局者から成るグループが、アパレル産業をより環境的・社会的に持続可能にするための方法を実行する手助けをした。国際的な起業家たちのグループが、起業家が保険に入りやすくなるための方法を見つける手助けもした。環境保護団体のCEOたちのグループが気候変動と戦うために協働する支援も行った。どのケースでもファシリテーションが役に立ち必要とされたのは、関係者たちが問題の絡み合う状況に直面し、その状況を変えるために協働することを望んだためである。

＊

組織内や組織を越えた人々のグループには、ファシリテーションが必要となることがよくある。共に前に進めるようにするには、組織の内外を問わず、1人または複数の人がファシリテーターとして活動する必要がある。次章では、ファシリテーターが通常どのようにこの役割を果たすかについて説明する。

第2章 垂直型ファシリテーションと水平型ファシリテーションは、どちらもコラボレーションを制約する

ファシリテーターがグループを支援すると、そこから緊張が生じる。英語の**グループ**（**group**）という言葉は単数形と複数形の両方の意味を持つ名詞であり、ファシリテーターの任務は、その両方、つまり、一つのグループ全体とグループ内に複数いるメンバーそれぞれを支援することだ。これが、すべてのファシリテーションの根底にある緊張の核心である。

ファシリテーターによっては、この緊張に対処するために、主に1つ目の任務に焦点を当てる。つまり、コラボレーションの動機となった問題の絡み合う状況に、グループ全体が取り組むのを支援するのである。一方で、主に2つ目の任務に焦点を当てるファシリテーターもいる。

表2.1：従来からある2つのファシリテーションのアプローチ

	垂直型 ファシリテーション	水平型 ファシリテーション
主要な焦点	一つのグループ全体の利益	グループの各部分 （各参加者）の利益
共に前に進むための戦略	トップダウンで推し進める （強制） 専門知識と権威に頼る	ボトムアップで推し進める （主張） 何を為すかについて 各参加者の選択に頼る
組織化の原則	上位の者が下位の者より優位に立ち、大きい方が小さい方より優先される階層制	平等
プラス面	協調と団結	自主性と選択の多彩さ
マイナス面	硬直と支配	分裂と行き詰まり

グループの多様な個々のメンバーが、問題だと感じている状況のさまざまな側面に取り組むのを支援するのだ。

これらは垂直型と水平型と呼ばれ、最も一般的で従来からあるファシリテーションのアプローチである。どちらにも強力な支持者がいて、それぞれにさまざまな方法論がある（垂直型ファシリテーションと水平型ファシリテーションの特徴のまとめは表2・1を参照）。どちらのアプローチも、グループが変化を創造するために協働するのを支援できる。しかし、どちらにも限界とリスクがある。

垂直型ファシリテーション

垂直型ファシリテーションは、ファシリテーションの最も一般的なアプローチである。

▽定義

垂直型ファシリテーションは、コラボレーションにおいて、**一つの全体**に焦点を当てている。すなわち、一つの統一されたチーム、一つの問題の定義、一つのベストな解決策、一つの最善の計画、そして最終的には、グループの行動を決定できる一人の上位リーダーに焦点を当てる。問題の絡み合う状況を進展させるためには、専門知識と権威が必要であることを前提とする。

専門知識と権威は、より知識のある参加者や年配の参加者、そしてファシリテーターが持っているという前提だ。

大きい方が小さい方より優先され、上位の者が下位の者より優位に立つ階層構造に基づいているという点で垂直型なのである。

▽戦略

人々が共に前に進むことを支援する上での垂直型ファシリテーションの戦略は、トップダウンで人々にそうするように後押しすることだ。リーダーたちが変化を起こした場合に限り、状況が変化することを前提としている。

垂直型ファシリテーションの例を2つ挙げよう。

- 組織内のすべてのユニットが、ほかのユニットと連携しながら、組織のミッションとボトムラインにどのように貢献するかを明確にする経営企画のプロセス。
- 多数の専門家や権威者が協働して、一つの共同提案を策定する政策形成のプロセス。

▽文脈

私が職業プロフェッショナルになっていく上で重視された経験は、すべて垂直型である。

一つの全体の利益に焦点を当て、その利益の達成に向けて進展するために専門知識と権威を用いることが重要だった。大学院でのエネルギー政策に関する研究では、エネルギー問題に対して経済的・環境的に最適な解決策を講じるための政府の政策を題材にした。キャリア初期の仕事は、パシフィック・ガス・アンド・エレクトリック社とシェルのそれぞれの経営企画部門で、全社的な戦略や計画を策定する取り組みを調整することであった。その後の独立コンサルタントとしての仕事では、クライアントのほとんどが階層型の企業や政府機関であり、これらの組織が直面しているさまざまな課題を合意に至らせ、その実行を目的とした何十ものワークショップをファシリテートした。私は特権的で高い地位にいることに慣れていたので、このような垂直型システムでの仕事を理解し、快適に感じていた。

垂直型ファシリテーションは、最も一般的なファシリテーションのアプローチである。なぜなら、ほとんどの組織や他の社会システムにおいて、垂直の構造が支配的な組織化の原則だからである。垂直型システムの中にいるときは、何をすべきかを把握しようと常に上司を仰ぎ見て（上位者が下位者より上に立つ）、良いチーム・プレイヤーやコミュニティのメンバーでいることが何よりも重要なのだ（大きいものが小さいものより優先される）。このようなシステムに属していると、ときに押さえつけられたり、閉じ込められたりする感覚に陥り、自分自身を抑え込んだり、自分にとって重要なことを妥協してしまったりすることがある。このような形で、垂直の構造は、貢献、つながり、平等を制約するのだ。

垂直型ファシリテーションは、世界のほとんどの地域の、ほとんどのセクターの、ほとんどの組織において、既定アプローチとなっている。権威ある立場の人の大半は、垂直の構造に依存し、それを既定としている。なぜなら、それが集団行動を前進させる（そして、彼ら自身の利益も守り、増やす）ための唯一実現可能な方法だと信じているからだ。彼らが変化を創造するためのコラボレーションに参加するときは、自分たちの権威を利用して、その取り組みに求められる貢献、つながり、平等を推進しようとする――但し、必ずしも求められる以上のことをしようとはしない。

▽ファシリテーション

ほとんどのファシリテーターは、垂直型ファシリテーションを既定とする。不安や恐れを感じているファシリテーターは特にだ。彼らは、いかに参加者がみんなで行うタスクを完遂できるか、そのための方法論を重視し、集団全体に抵抗する「厄介な人たち」にどう対処するかを案じている。

このようなファシリテーターは、自分たちの主な仕事は、全員に働きかけて集団での努力が実を結ぶように貢献してもらうことだと考えている。そしてグループに要求するのは、「プロセスを信頼し」、「チームの利益に焦点を当て」、「自分自身の意図は手放す」ことである。しかし、このような要求をするとき、ファシリテーターは、すべての参加者が自身の利益、すなわち個人的なニーズに関連した利益、あるいは属している部門や組織の利益を有しており、それがグループ全体の利益とは一部しか一致していない、という事実を無視している。プロセスに従い、グループのタスクの達成をに成功することが、自分自身の利益と一致する人は、1人か2人――ファシリテーター自身と、おそらくグループのボス――しかいないのだ。したがって、こうした要求は不誠実で操作的なのである。

▽結果

垂直型ファシリテーションのプラス面は、**協調**と**団結**である。垂直型ファシリテーションは、グループが一体となって共に前に進むために必要な合意を打ち出す。これらは極めて大きな価値のあるプラス面である。

しかし、垂直型ファシリテーションを重視し過ぎると、**硬直**と**支配**というマイナス面も生まれる。自主性と多様性の余地を残さず、協調と団結を押しつけると、グループの支配的なメンバーが、下層のメンバーを締め付けることになるため、彼らはありのままの自分を出せず、思ったことを口に出せなくなる。このようなマイナス面は、貢献、つながり、平等を制約する。

文脈によっては、垂直型で十分かもしれないが、限界があるのだ。

水平型ファシリテーション

2番目に一般的なファシリテーションのアプローチが、垂直型ファシリテーションとは正反対の水平型ファシリテーションである。

▽定義

水平型ファシリテーションは、コラボレーションにおける**多数の部分**に焦点を当てる。つまり、グループ（彼らは自分たちをチームだと思っていない場合が多い）の個々のメンバーの立場と利益、問題の絡み合う状況に対するそれぞれ異なる理解、複数の可能性のある解決策や進め方、そして最終的には、何を行うかについての一人ひとりの意思決定に焦点を当てている。

問題の絡み合う状況を進展させるためには、参加者それぞれが何をするか自分で選択する必要があり、誰も専門知識や権威を上から行使することはできないし、行使してはならないことを前提とする。

階層を不当で効果のないものとして拒絶するという点で、水平型である。平等を重視しているのだ。

▽戦略

水平型ファシリテーションの戦略は、ボトムアップから前進を促すことだ。人々が変化を創造する行動を取るために立ち上がり、それを支持する選択をしない限り、状況は変化しないという前提に立っている。参加者たちは、貢献、つながり、平等を推進しなければならない。それゆえ、ファシリテーターが焦点を当てるのは、すべての参加者の権利、安全、利益を高めることである。

水平型ファシリテーションの例をいくつか挙げよう。

- 集団での変化を創造するための戦略として、参加者それぞれの学びと成長に焦点を当てたチーム研修。
- 目の前にある問題について意見を述べ、それについてどうすべきか自らの結論を導き出すために、メンバーそれぞれが平等な権利を持つことに重点が置かれるコミュニティ対話。
- ほかのメンバーと一緒であれ別々であれ、各メンバーが自主性を持ち、何をするかを選択しなければならないマルチステークホルダーのネットワークやアライアンス。
- すべての当事者が満足することを成功の第一の判断基準に置く交渉。

▽文脈

レオス社での私の最も大きな仕事の領域は、社会システムのさまざまな部分からリーダーたちを集め、全員が利害関係を持ち、懸念を抱く問題の絡み合う状況を進展させるプロセス（コロンビアでのプロジェクトのように）をファシリテーションすることであった。このようなコラボレーションは、通常、水平の構造を既定としている。それは参加者が一つの組織階層に属してはおらず、自主性を重視、擁護しているからである。学者たちや活動家たちのグループをファシリテーションする際にも同様のダイナミクスがあり、どちらの場合も、参加者は自分の自由を大切にし、擁護していた。このような水平型の取り組みでは、個々の参加者によって興味深いアイデアやイニシアチブが生まれうるが、集団行動やシステムの変化は限定的でしかないことが多い。

水平型ファシリテーションは、水平の構造が支配的な組織化の原則となっている組織やその他の社会システムでは、一般的なアプローチだ。このような社会システムが見られるのは、自分のことは自分でやり、自分の面倒は自分で見ることが奨励され、期待されている、すなわち、自主性と自由が中核的な価値観となっているときである。このようなシステムの中にいると、孤独感や他者との隔たりを感じることや、物事を成し遂げたり、物事の在り方を変えたりするために他者と協働するのが難しくなることがある。このような形で、水平の構造は、貢献、つながり、平等を制約する。

▽ファシリテーション

多くのファシリテーターは、垂直型ファシリテーションの抑圧的なマイナス面を認識しているため、その反動で、水平型ファシリテーションを既定としている。彼らは、自分たちの主な仕事は、参加者全員がコラボレーションに貢献し、そこから恩恵を受ける機会を平等に得られるようにすることを確実にするために、公平な機会の場を築くことだと考えている。このような平等に必要なのは、グループの椅子を円形に配置することにとどまらない。コラボレーションの内部の構造やダイナミクスだけでなく、外部の構造やダイナミクスにも目を配る必要があるのだ。

▽結果

水平型ファシリテーションのプラス面の貢献は、共通の目的を達成するために、複数の自発的な行動を促すことである。このアプローチは、**自主性**と**選択の多彩さ**を促進する。参加者全員が自分らしさを十分に発揮し、自由に自己を表現するのだ。これは極めて大きな価値のあるプラス面である。

しかし、水平型ファシリテーションを重視し過ぎると、マイナス面も生じる。**分裂**と**行き詰まり**である。協調と団結の余地を残さず、自主性と多様性を押しつけると、誰もが自分のことしかせず、自分の道を進み、他者と密接に連携することができなくなる。このようなマイナス面が広がると、貢献、つながり、平等が制約される。

文脈によっては、水平型で十分かもしれないが、それには限界がある。

＊

従来のファシリテーションのアプローチは、垂直型と水平型のどちらも、価値のあるプラス面を生み、しばらくの間はうまく機能し得る。しかし、どちらも、過度に重視したり、あまりにも長い間、それだけを続けたりしていると、マイナス面も生じる。このようなマイナス面は、必然的に、人々が共に前に進むことを支援するこれらのアプローチの有効性を低下させ、リスクにさらすことになる。次章では、こうした緊張に対処するための今までにないアプローチを提案する。

第3章 変容型ファシリテーションは、制約を突破する

ほとんどのファシリテーターは、垂直型ファシリテーションか、その対極にある水平型ファシリテーションのどちらかを選んで用いる。彼らは、自分たちが選んだアプローチの方が、もう一方のアプローチよりも適切で優れていると主張する。しかし、この選択をするとき、彼らは意図しないまま必然的に、自分がファシリテーションしているコラボレーションを制約している。なぜなら、これらの従来の選択肢はどちらも変容的な変化を生み出すことはできないからだ。

垂直型アプローチと水平型アプローチは、単に対極にあるだけではない。互いに補い合うものでもある。つまり、これらのアプローチはそれぞれ、もう一方のアプローチなしでは不完全であり、それぞれのマイナス面は、もう一方のアプローチを付け加えることによってのみ軽減

されるのだ。[1] したがって、ファシリテーションが変容を起こすこと――垂直型と水平型の制約をブレイクスルー（突破）すること――ができるのは、ファシリテーターが両方のアプローチを用いることを選択した場合に限られる。つまり、強力で今までにない選択肢をとったときだ。

ファシリテーターは、垂直型と水平型の間を循環する

誰もが息を吸う、吐くの両方を行うように、ファシリテーターは垂直型と水平型の両極を選択する。誰も、息を吸うのが良いか、吐くのが良いかを議論したりはしない。吸ってばかりいたら二酸化炭素過剰で死んでしまうし、吐いてばかりいたら酸素不足で死んでしまうから、どちらかを選ぶことはできない。代わりに、私たちはその両方を、同時にではなく、交互に行わなければならない。まず、吸うことで血液中に酸素を取り込み、次に、細胞が酸素を二酸化炭素に変え、血液中に二酸化炭素がたまると、息を吐いて二酸化炭素を外に出す。そしてまた、血液中の酸素が減り過ぎると吸う、といったサイクルを繰り返す。この無意識の生理的フィードバック・システムが、息を吸う、吐くという欠かすことのできない交互の繰り返しを持続することによって、私たちは死ぬことなく生きていられるのだ。このリズムの要諦は、息を吸うことも吐くことも、それぞれのマイナス面が強くなる前に体が反対の動きのプラス面に転じなければならないということだ。もし最後まで振り切ってしまったら、それは死を意味する。

変容型ファシリテーションも呼吸と同じように機能する。垂直型ファシリテーションと水平型ファシリテーションのどちらにも、プラス面とマイナス面がある（図3・1参照）。垂直の構造が行き過ぎて、グループが**硬直**と**支配**によって身動きがとれなくなり始めたら、ファシリテーターは水平型である**自主性**と**選択の多彩さ**に向かうように、**多面性**に重点を置く。過剰な水平の構造によってグループが**分裂**と**行き詰まり**に陥り始めたら、ファシリテーターは垂直型である**協調**と**団結**に向かうために**統一性**に重点を置く。このようにきめ細かな一連の選択によって、垂直型アプローチと水平型アプローチの間で（無限のシンボルないし連珠形を描くように）必要な交互性が維持される。このリズムの要諦は、ファシリテーターが自分の垂直型または水平型ファシリテーションが、マイナス面に陥り始めることに気づいたら、その時点で、対極のアプローチのプラス面に方向転換しなければならない、ということだ。片方のファシリテーションのマイナス面が最後まで振り切ってしまうと、**二極化**と**膠着**《こうちゃく》による悪循環スパイラルに陥るだろう。垂直型ファシリテーションと水平型ファシリテーションの間を行き来して循環することで、グループが**共に前に進む**ことができる好循環スパイラルが生まれるのだ。このアプローチは線形には進まず、決して一筋縄にはいかない。

この第3のアプローチが、変容型ファシリテーションである（表3・1参照）。垂直型ファシリテーションと水平型ファシリテーションを単に混合したり、その間で妥協したりするのではない。この2つを包含し、超越した上で、根本的に異なるアプローチに生まれ変わらせるのである。

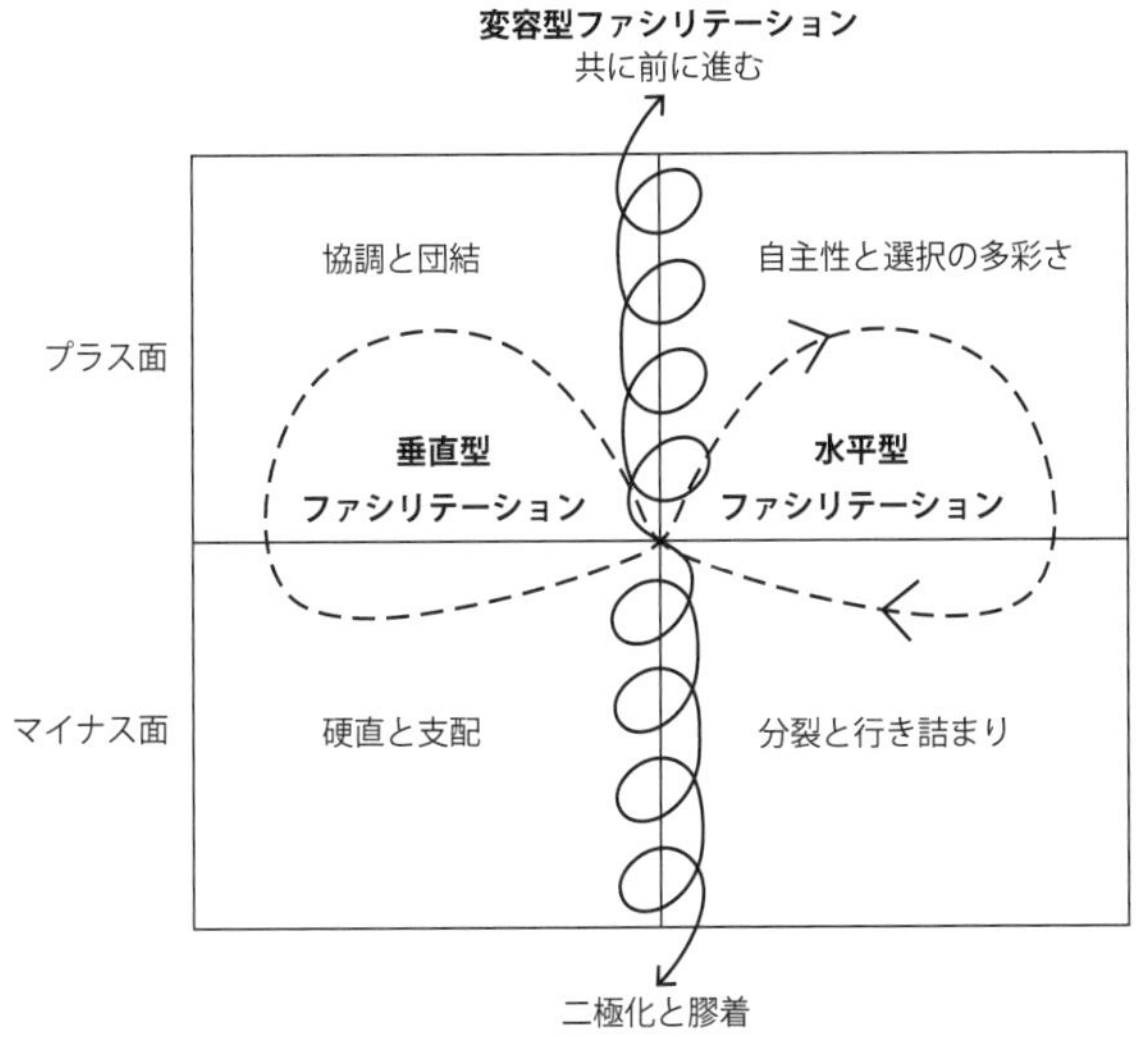

図3.1：変容型ファシリテーションの循環

変容型 ファシリテーション	水平型 ファシリテーション
システムの全体の利益と部分（各参加者）の利益	グループの部分（各参加者）の利益
構造的な障害を取り除く（行動を可能にする）	ボトムアップで推し進める（主張する）
垂直型と水平型の間を行き来して循環する	何を為すかについて各参加者の選択に頼る
衡平な階層構造	平等
垂直型と水平型の最も良い面をより多く有する	自主性と選択の多彩さ
垂直型と水平型のマイナス面が緩和されている	分裂と行き詰まり

表3.1：ファシリテーションの3つのアプローチ

	垂直型 ファシリテーション
主な焦点	一つのグループ全体の利益
共に前に進むための戦略	トップダウンで推し進める（強制）
	専門知識と権威に頼る
組織化の原則	上位の者が下位の者より優位に立ち、大きい方が小さい方より優先される階層制
プラス面	協調と団結
マイナス面	硬直と支配

垂直型ファシリテーションと水平型ファシリテーションは制約があるために限定的な変化しか生み出せないが、変容型ファシリテーションは、グループが共に前に進む上での障害を取り除く（つまり、グループを変容させる）ことによって、制約を取り除くのである。変容型ファシリテーションだけが、ブレイクスルーとなる変容的な変化を創り出すことができるのだ。

循環が障害を取り除く

垂直型ファシリテーションも、水平型ファシリテーションも、共に前に進む際の構造的な障害を乗り越えることに焦点を当てているが、変容型ファシリテーションは、これらの障害を**取り除くこと**に焦点を当てる。変化を創造するこのアプローチには長い歴史がある。１９４０年代、組織開発研究者の先駆けであるクルト・レヴィンは、障害を取り除くことは、圧力を強めることよりも効果的であると仮定した。

レヴィンの研究は、単に圧力をかけたり、変化を強制したりするのではなく、うまく計画的に変化を起こすための基盤として、抑制的な力を特定し、それに対処することを支持している。「［圧力をかけるという］１つ目のケースでは、プロセスは……比較的高い緊張状態によって達成され、［一方で］［抑制的な力に対処するという］２つ目のケースでは、比較的低い緊張状態によって達成されるだろう。一定程度以上に緊張が高まれば、攻撃性が増し、感情がより高ぶって、あまり建設的ではなくなる可能性があるため、原則として、2つ目の方法が「1つ目の」方法よりも好ましいことは明らかである[2]」

変容型ファシリテーションにおいて、ファシリテーターは、貢献、つながり、平等に対する構造的な障害を取り除くために、垂直型と水平型の両方の動きを為す。以下に、そのような構造的な変化の例をいくつか挙げる。

- 誰が誰と何をするかについて、流動的、創造的に進められるような対面およびオンラインの環境を整える（柔軟性と選択の自由を重視することによって）。
- 多数の異なる他者と協働する機会を全員に与える（非公式の休憩や食事、その他のつながりを築く方法を織り交ぜて、さまざまな人々で構成された小グループでの作業を通して）。
- 参加型で迅速にアイデアを生み出し、やりとりをすることを促進する（実物および仮想のフリップチャートやホワイトボード、付箋紙、ブロック玩具、共有ファイルを使用して）。

これらすべての例において、ファシリテーターは、垂直型の動きによって新しい構造を築き、水平型の動きによってその構造を活用して、多様な関心、アイデア、コミットメント、才能、エネルギーのすべてに貢献し、それらをつなげて参加者を平等に導いているのだ。

垂直型と水平型の間を行き来して循環することは、流れを妨げている巨石を取り除いてよりしっかりまとまって流れるようにするために、巨石を前後に揺り動かすようなものだ。ファシリテーターは、グループがよりしっかりまとまった流れで共に前に進むことを支援するために、5つの垂直型の動きと5つの水平型の動きを用いる。これらの動きについては、第4章で紹介し、第6章から第10章で説明し、巻末の表「変容型ファシリテーションの全体像」にまとめている。

ファシリテーターは、貢献、つながり、平等を妨げる障害を取り除くとき、しばしば革新的な行動をとる。多くの文脈で、こうした行動は現状維持に挑戦するものであり、現状維持を好む参加者は抵抗するだろう。参加者が問題の絡み合う状況に対処するのをうまく支援するためには、ファシリテーターは、現状を維持しようとするダイナミクスに気づき、戦略的に対応する必要がある。例えば、支配的な参加者は、自分の希望をグループに押しつけようとするかもしれない（グループの議題や優先順位を形成するために、ほかの参加者を説得したり、自分の権威を利用したりして）。このような場合、ファシリテーターは、適切な貢献、つながり、平等を確保するための、グループのルール（決定に関するルールを含む）を決める必要があるだろう。

障害を取り除くことは、シンプルな行動でもあり得る。例えば、コロンビアでの最初のワークショップの冒頭で行われた1分間の自己紹介は、すべての人の声を聞けるようにしたことで、貢献の妨げを取り除くのに役立った。また、誰もがほかの全員について見たり聞いたりできるようにしたことが、つながりに対する障害を取り除く助けになった。そして、椅子で輪を作って、誰も部屋の中で「前」に立たないようにしたり、1分間のタイマーを使って、地位によって延長時間を与えられる人がいないようにしたりすることが、平等の妨げを取り除くのに役立った。この綿密に設計された最初のセッションによって、その後のプロジェクトのすべての流れが定まった。変容型ファシリテーションは、戦略的な意図を持って行われるシンプルな行動で構成されているのである。

変容型ファシリテーションは、組織での変革を可能にする

コンサルタントとして独立したばかりの頃、私と同僚は、フォーチュン誌で「世界を変える企業50社」に選ばれたある物流会社の2年間の戦略プロジェクトのファシリテーションを行った。その会社で確立された物事の進め方は、垂直型であった。CEOが強引かつ詳細な指示を出して経営を行っており、それによって協調と団結が生まれ、卓越したビジネスの成功を実現していたのである。しかし、COOは、グローバル化とデジタル化によって競争環境が変化している中で、自社の状況は問題の絡み合う状況にあると考えており、組織全体の社員がもっと水平的に協働することで革新的な対応策を生み出したいと望んでいた。

私のチームは、COOとその同僚と垂直的に連携し、プロジェクトの範囲、スケジュール、プロセスに合意し、地位と部門を越えたチームを設立した。私たちがこのチームのために設計したプロセスは、彼らがそれまでに経験してきたものよりも水平的、参加型で、創造的なものだった。現場の最前線に立つ時間を持ち、ほかの業界でリーダー的存在の組織に学ぶラーニング・ジャーニーを経て、起こりうる未来のシナリオを構築することによって、自分たちのいる市場の変化を集中的に体感した。そして、チームのメンバー全員が欠けることなく参加することが重視され、革新的な選択肢を生み出し、発展させ、検証するための構造化されたアクティビティが行われるワークショップに参加した。

この変容型のプロセスがブレイクスルーを可能にしたのは、上司が一番よく知っているという前提で命令と統制を行う企業文化を保留する場を創り出したからである。この保留によって、さまざまな部門を横断し、階層のなかのさまざまな地位の人々による貢献を高めることができたのだ。部門横断的なプロジェクト・チームは、コミュニケーションのラインが横ではなく縦に走るたこつぼ化した組織に切り込んでいったため、つながりをさらに拡大することを可能にした。また、この会社では上位職者になるほど非常に多くの報酬と権限を得る、特権の階層があったのだが、このプロセスによって、より平等な貢献とつながりも可能になった。変容型ファシリテーションによって、このチームは、新サービスの提供の開始と、会社運営を円滑かつ一貫したものとする一連のイニシアチブを発案し実施することができたのだ。

変容型ファシリテーションは、組織を越えた変革を可能にする

多くの異なるタイプの組織を含むより大きな社会システムでは、貢献、つながり、平等を促進あるいは制約する構造が、一つの組織内の構造よりも大きく、複雑である。したがって、このようなシステムで変容型ファシリテーションを用いるには、新しい構造を創り育むことも含め、構造を変容させるための戦略的な介入が必要である。

例えば、コロンビアのプロジェクトでは、最初のステップは参加者の招集であった。プロジェクトの発起人たちは、何カ月もかけて、この地域の経済、政治、社会、民族のあらゆるグループからリーダーたちを集めた。その中にはエリート層も社会的に取り残されていた人々も含まれていた。また、プロジェクトの信頼性を担保し、参加者に公式・非公式な権限を与えるために、ほかの有力者にもプロジェクトの支持を依頼した。そして、プロジェクトの資金を提供してくれる組織と、ホテルのスペースを提供してくれる組織も見つけ出した。

このコラボレーションは、適切に組織化される必要があった。私たちは、最初のワークショップが始まるまでの準備期間、実施期間と、その後の1年間のフォローアップ期間にわたって、参加者の一連の活動をサポートできるようにプロジェクトを設計した。組織横断的なプロセスをファシリテートしてきた国際的な経験を持つレオス社のメンバーと、この地域での経験と人間関係を持つ地元の人々からなるファシリテーション・チームを組織した。チームは、

2日間かけてお互いを知り、ファシリテーターとしての役割にどう取り組んでいくかを検討した。

参加者たちが協働できるようになるためには、地域の状況がどうなっているか、どうすれば変えることができるかについて話し合えるだけの共通言語を築く必要があった。私たちは、参加者一人ひとりと自由に話す形での面談を行い、プロジェクトへの参画を促すとともに、地域が直面している重要な課題に対する彼らの意見を聞いた。そして、一部の発言の匿名での書き起こしを含む、参加者たちの意見をまとめたレポートを1回目のワークショップに先立って参加者たちに配布した。ワークショップの初日の午前中は、各参加者が地域の状況に関する今の現実についてそれぞれの見解を発表した。その際、石、本、種、マチェーテ（伐採用のなた）など自ら持参した物とともに語ってもらったことで、「例え」となるイメージが鮮明になった。ブロック玩具を使ったアクティビティでは、より大きな文脈の中でこの地域の社会・政治・経済・文化システムのモデルを構築し、人によって異なる暗黙の理解を視覚的に、円滑に共有して結びつけることができた。また、付箋紙に自分の考えを書き、整理することで、今の現実に対する複合的な理解を生み出し、思考実験を重ねることができた。これらの方法論はすべて、マイノリティや社会的に取り残された人々を含むすべての参加者が、平等かつオープンに自己表現できる場を作り出し、これまで目に見えなかったものを見えるようにするのに役立った。

そして何より重要なのは、参加者たちが喜んで協働したいと思い、協働できるようになる必要があったことだ。参加者たちが互いにより良いつながりを築くのをサポートするために、私たちは以下のことを行った。

- 一連のグランドルールに、特に秘密保持に関して合意したことで、参加者はより安心して貢献することができた。
- 長テーブルで一緒に食事をしたことで、打ち解けた会話をできる場が生まれた。
- 2人1組でのペアウォークに出かけるように勧めたことで、隔たりを越えた人間関係を築くことができた。
- オープンで、偏見なく、共感しながら聴くためのフレームワークを紹介し、参加者はペアで練習した。この演習の締めくくりは、相手の目を見るという演習であり、そのとき会場には、明らかにこれまでになく、予期もしていなかったつながりの感覚が生まれていた。
- ストーリーテリングを通じて参加者たちが自らの人生について語る1時間の場をファシリテーションしたことで、一部の参加者がなぜ相反する道を歩むことになったのかについて、理解を深めることができた。

このような慣例にとらわれないアクティビティをすべて、構造的でありながら遊び心のある順序で行ったことによって、参加者たちは何が起こりうるのかに対してリラックスして心を開いていった――「神秘の出現」である。

コロンビアでファシリテーション・チームが行ったことはすべて、私たちの垂直型の専門知識と権威、そして参加者の水平型の選択の両方を体系的に採用することによって、貢献、つながり、平等に対する障害を取り除くことにほかならなかった。

*

変容型ファシリテーションでは、ファシリテーターが垂直型と水平型の間を行き来して循環することで、貢献、つながり、平等に対する障害を取り除き、それによってグループが共に前に進めるようにする。次章では、ファシリテーターがこの循環を実現するために、具体的にどのような動きをしなければならないかについて説明する。

第4章 ファシリテーターは10の動きでブレイクスルーを可能にする

自転車に乗る人は、左右のペダルを交互に踏むことで自転車を前に進めることができる。同様に、ファシリテーターは、垂直型と水平型の動きを交互に行ってグループを前進させる。

すべてのコラボレーションで取り組まなければならない5つの問い

すべてのコラボレーションはそれぞれ異なる。問題の絡み合う状況、参加者、プロセスの詳細が違うからだ。しかし、いかなるコラボレーションも、参加者とファシリテーターは、どのように共に前に進むかに関する共通の5つの基本的な問いを通して取り組む必要がある。

1　私たちの状況をどのようにとらえるか？　言い換えれば、私たちの周りで、私たちの間で、そして私たちの内面で、実際には何が起こっているのか、ということだ。この問いは、グループが協働して取り組んでいる現実（グループ内にある現実を含む）に関するものである。私たちの現在の状況に関する現実を理解することなく、それを効果的に変容させることなどできはしない。

2　成功をどのように定義するか？　私たちは取り組みを通じて、どのような成果《アウトカム》を生み出そうとしているのだろうか？　この問いは、コラボレーションを通じて、どんな目的地を目指しているのか、というものだ。何がゴールラインかわからなければ、進展しているかどうかもわからない。

3　現在地から目的地までどのような道筋をとるか？　今いる場所から目指す場所までの道筋はどのようなものか？　この問いは、前進の仕方、つまりアプローチ、プロセス、方法論、ステップに関するものである。

4　誰が何をするかをどのように決めるか？　取り組みを調整し、整合させるために、どのようなアプローチをとるのか？　この問いは、（必ずしも通常の役割や階層に依存することなく）違いを超えて協働するために、私たち自身をどのように組織化するか、というものだ。

5 自分の役割をどのように理解するか？ 現在の状況について、私たちはどのような責任を負っているのか？ この問いは、現在の状況とそれに対処するための協働的な取り組みについて、私たちがそれぞれどのように自らを位置づけるのか、というものだ。

これらの問いは、どのコラボレーションでも始まるやいなやすぐに出てくるものだ。しかし、たいていの場合、いっぺんに答えが出たり、あるいは一度できっぱりと答えられたりするものではない。ファシリテーターと参加者は、数日であれ数十年であれ、コラボレーションの期間中、繰り返し反復してこれらの問題に取り組む必要がある。

垂直型ファシリテーションと水平型ファシリテーションは、5つの問いにどう答えるか

垂直型ファシリテーションは、これらの5つの問いに対してわかりやすく、馴染みのある答えを提供する。それが、垂直型の魅力であり、よく使われるゆえんでもある。垂直型では通常、

参加者とファシリテーターの双方が、自分たちが行っている取り組みについて、次のような自信にあふれ、超然として支配的な答えを持つ。

1（現実の理解について）「正しい答えを私たちが持っている」
2（目的地・成功について）「合意する必要がある」
3（道筋について）「何をすべきか私たちは知っている」
4（組織化・意思決定について）「リーダーが決める」
5（自分の役割は）「それを直すことだ」

これに対し、水平型ファシリテーションでは、参加者は通常、次の5つの挑戦的かつ防衛的で、自立した答えを出し、ファシリテーターはこの自主性をサポートする。

1（現実の理解について）「それぞれの答えがある」
2（目的地・成功について）「それぞれが進み続ける必要がある」
3（道筋について）「それぞれ進みながら自分のやり方を見つける」
4（組織化・意思決定について）「それぞれが自分で決める」
5（自分の役割は）「それぞれが自身の振る舞いを正すことだ」

変容型ファシリテーションはこの5つの問いにどう答えるだろうか。

垂直型アプローチと水平型アプローチは、これらの問いに対して、正反対の答えを持つ。これらの対となる答えは、垂直型と水平型の対を成す具体的な5つの極を構成している。変容型ファシリテーションでは、ファシリテーターは、参加者がそれぞれの対の極の間を行き来し、循環するのを支援する一連の動きを為す。このようにして、グループは、両方のアプローチの最も優れた面を得て、最も悪い面を回避し、共に前に進むのである。

1 私たちの状況をどのようにとらえるか？

ファシリテーターは、参加者が**主張する**ことと**探求する**ことの間を循環するのをサポートすることによって、この最初の問いに取り組む手助けをする（表4・1参照）。多くの場合、参加者もファシリテーターも、「正しい答えを私たちが持っている」という自信に満ちた垂直型の視点をもってコラボレーションを開始する。それぞれが、「ほかの人たちが私に同意してくれさえすれば、グループはもっと早く容易に、共に前に進めるだろう」と考えている。グループがこの姿勢を過度に、あまりにも長くとり続けて、そのかたい確信に執着し始めたときには、ファシリテーターは参加者が水平型の多面性に向けて探求することを支援する必要がある。正しい答えを私たちが持つと確信して参加者がテーブルを叩いているときは、発言の前に「私の考えでは」と付け加えるように参加者に促し、それでも不十分なら「私の些細な意見ですが」

と言うように勧めるのがよいだろう。こうした遊び心ある言い回しによって、探求への扉が開かれるのだ。

そして、参加者がこの水平型の「それぞれの答えがある」という姿勢を過度に、あまりにも長くとり続けて、不協和音や優柔不断で動けなくなり始めたら、ファシリテーターは、垂直型の統一性の明確さと決断力に向かって動くために、彼らが主張するのを支援する。

ファシリテーターは、グループ内で何が起こっているのか、それに対して参加者は何をする必要があるのかについて、主張と探求の間を行き来する。その行き来をすることで、問題の絡み合う状況で何が起こっているのか、それに対処するために何をする必要があるのかについて、グループにも同じ行動を促すのだ。このように、主張と探求の間を循環することによって、グループとファシリテーターは、自分たちがどこにいて、それが次にすべきことに関して何を示唆しているのかについて、徐々に、反復しながらはっきりと理解していくのである。

2 成功をどのように定義するか？

ファシリテーターは、参加者が**結論を出す**ことと**先に進む**ことの間を循環することをサポートすることで、2つ目の問いに取り組む支援をする。多くの場合、参加者とファシリテーターのどちらも、何をもって成功とするかについて、「合意する必要がある」という垂直型の視点でコラボレーションを開始する。しかし、参加者がこの姿勢を過度に、あまりにも長くとり続けて、結論を出すことにとらわれ始めたら、ファシリテーターは彼らが先に進むように支援する必要がある。私がファシリテーターとして学んだ最も重要なことの一つは、共に前に進むためには、多くの人が考えるほど頻繁に、あるいは多くの事柄について合意を結ぶ必要はない、ということである。

そして、参加者が、焦点の定まらない水平型の「それぞれがただ動き続けるしかない」という状態に陥り始めたら、ファシリテーターは、彼らが何に焦点を当てるかについて合意できるように、立ち止まって検討することを支援する必要がある。

ファシリテーターは、プロセスにおけるペースとタイミングというファシリテーションの重要なツールを用いてこの循環に取り組む。つまり、グループが合意や結論に達するために減速したり、立ち止まったりする必要があるときや、合意がなかったり、部分的にしか合意がなかったりする場合でも先に進み続ける必要があるとき、そしてコラボレーションの終了を宣言しなければならないときを見極めペースを調整するのである。このように結論を出すことと先に進むことの間を循環することで、グループとファシリテーターは、自分たちの目指す場所について、徐々に、反復しながら明確に理解していくのである。

3　現在地から目的地までどのような道筋をとるか？

ファシリテーターは、参加者が**予め道筋を描く**ことと**発見する**ことの間を循環するのをサポートすることによって、3つ目の問いに取り組む支援をする。多くの場合、参加者もファシリテーターも、「何をすべきか私たちは知っている」という自信に満ちた垂直型の視点でコラボレーションを始める。しかし、参加者がこの姿勢を過度に、あまりにも長くとり続けて、どうにも動けなくなり始めたら、ファシリテーターは、参加者が自分たちの理解を検証し、新しい選択肢を発見するために実験することを支援する必要がある。

参加者が、水平型の「それぞれ進みながら自分のやり方を見つける」という行き過ぎた状態に陥り始めたら、ファシリテーターは共に前に進む共通の道筋を描くことを支援する。

ファシリテーターはグループの取り組みのために計画したファシリテーションのプロセスを続けなければならず、参加者は問題の絡み合う状況に対処するために、予め描いた道筋を継続しなければならない場合がある。また、ときとしてファシリテーターも参加者も、計画にはなかった現実に起こっている状況に対処するために、方向転換しなければならない場合もある。

このように、予め道筋を描くことと発見することの間を循環することで、グループとファシリテーターは、徐々に、反復しながら前に進む方法を明確にしていくのである。

4　誰が何をするかをどのように決めるか？

ファシリテーターは、参加者が**指揮する**こと（オーケストラやバンドの指揮者のように）と**伴走する**こと（ピアノやドラムを演奏する伴奏者のように）の間を循環するのをサポートすることによって、4つ目の問いに取り組むことを支援する。多くの場合、参加者もファシリテーターも、誰が何をするかは「リーダーが決める」という明確な垂直型の視点でコラボレーションを始める。しかし、この姿勢をとり過ぎたり、長くいつづけ過ぎたりして、「上の決定を待つ」非効果的な状態に陥り始めるとき、ファシリテーターは、参加者全員が自分自身の行動に責任を持てるようにサポートする必要がある。

そして、参加者が水平型の「それぞれが自分で決めなければならない」という姿勢をとりすぎて合致《アライメント》のない状態に陥り始めたら、ファシリテーターは参加者が自分たちの行動を合致《アライメント》させることを支援する。

ときにはファシリテーターがグループの前に立って指揮しなければならず、参加者も問題の絡み合う状況に対処するために指揮しなければならない。一方で、ファシリテーターがグループに寄り添って伴走しなければならず、参加者グループも同じように状況に寄り添って伴走しなければならない場合もある。このように指揮することと伴走することの間を循環することで、グループとファシリテーターは、自分たちの取り組みをどのように調整していくのかを徐々に、反復しながら明確にしていく。

5 自分の役割をどのように理解するか？

ファシリテーターは、参加者が問題の絡み合う状況の**外側に立つ**ことと、**内側に立つ**ことの間の循環をサポートすることによって、参加者がこの最後の問いに向き合うことを支援する。

多くの場合、参加者もファシリテーターも、「それを直すべきだ」という客観的な垂直型の視点からコラボレーションを始める。しかし、この姿勢をとり過ぎたり、あまりにも長い間続けたりして、冷たく隔たりのある状態に陥り始めたら、ファシリテーターは、参加者自身も問題の一部であり、それゆえに解決策の一部になるためのレバレッジを持っているかについて考えるように支援する必要がある。

そして、参加者が内向きで近視眼的になっていく水平型の「それぞれが自身の振る舞いを正すことだ」という姿勢をとりすぎる状態に陥り始めたら、ファシリテーターは、参加者が状況の外に立ち、何が起こっているのかをより明確で、超党派的かつ中立的な視点で見ることができるように支援する。

ファシリテーター自身が外側に立って、今起きていることについてより明確な見方を得ることが必要なときもあれば、内側に立って、自分も問題の一部であり、それゆえに解決策の一端を担うためのレバレッジを持つということを認識することが必要なときもある。このように、外側に立つことと内側に立つことの間を循環することによって、グループとファシリテーターは、徐々に、反復しながら、自らの役割と責任を明確にしていくのである。

＊

コラボレーションを行っているあらゆるグループは、この5つの基本的な問いに対して、最初の一度きりだけでなく、繰り返し何度も取り組む必要がある。したがって、ファシリテーターは、必要なときに何度も何度もここに記した10の動きを為さねばならない。次章では、ファシリテーターが次にすべきは10の中のどの動きなのかを知るための方法を説明する。

変容型 ファシリテーション		水平型 ファシリテーション
グループを 水平型のプラス面に シフトさせる相殺の動き	グループを 垂直型のプラス面に シフトさせる相殺の動き	グループが水平型に行き過ぎて マイナス面に陥りつつあることを示す 典型的な答え
多面性の重視	統一性の重視	「各部分の利益を重視しなければならない」
探求する	主張する	「それぞれの答えがある」
先に進む	結論を出す	「それぞれが進み続ける必要がある」
発見する	予め道筋を描く	「それぞれ進みながら自分のやり方を見つける」
伴走する	指揮する	「それぞれが自分で決める」
内側に立つ	外側に立つ	「それぞれが自身の振る舞いを正すことだ」

表4.1：変容型ファシリテーションの循環する動き

	垂直型 ファシリテーション
	グループが垂直型に行き過ぎて マイナス面に陥りつつあることを示す 典型的な答え
全体について	「全体の利益を重視しなければならない」
1　私たちの状況をどのようにとらえるか？	「正しい答えを私たちが持っている」
2　成功をどのように定義するか？	「合意する必要がある」
3　現在地から目的地までどのような道筋をとるか？	「何をすべきか私たちは知っている」
4　誰が何をするかをどのように決めるか？	「リーダーが決める」
5　自分の役割をどのように理解するか？	「それを直すことだ」

第5章 ファシリテーターは注意を払うことによって、次にとるべき動きを知る

変容型ファシリテーションを行うには、たった10の動きをすればよい。但し、ファシリテーターはこれらの動きを、予め決められた順序やリズムに沿って線形的に行うのではなく、その瞬間瞬間に、それぞれの動きが必要なときに必要だけ行わねばならない。これを効果的に為すために、ファシリテーターは、グループの中で、周囲で、そして彼ら自身の内面で何が起こっているかに注意を払う必要がある。

ファシリテーターは循環することによって前進を可能にする

ファシリテーターは5対の動きの間を行き来して循環する。時と文脈によって、ファシリ

テーターは5対のうちのいずれかの対を重視したり、あるいは垂直型の動きか水平型の動きのどちらかに重点を置いたりする。例えば、参加者たちがグループ内で何が起こっているのか、そしてそれがグループを取り巻くより大きな状況で起こっていることとどう関係しているのかを理解しようとしているとき（1つ目の問い）、ファシリテーターは、外側に立つことと内側に立つことを切り替えることによって（5つ目の問い）、よりよく状況が見えるようにグループを促すことができる。あるいは、グループが結論を出すために立ち止まろうとしているときには（2つ目の問い）、グループがどのように意思決定をしているか（4つ目の問い）に焦点を当てるよう促すことができる。あるいは、垂直型の強い組織文化において、水平型ファシリテーションが続いて不安と感じている際にはしばしば安心させるように、垂直型の極に戻る必要があるかもしれない。

しかし、これらの動きの間には、安定した中間点や静的なバランスは存在しない。まるで自転車に乗っているかのように、ファシリテーターは、交互に動きを続けることで動的なバランスを確立してグループの前進を支援する必要がある。

初心者のファシリテーターは、バランスを大きく崩してしまうことがある。そして、バランスを取り戻すために、意識的に、痛みを伴いながら自分自身の内面をシフトさせなければならない。達人のファシリテーターは、ほんの少しバランスを崩すこともあるが、無意識に、しなやかにシフトする。私は、30年経った今でも、この学習曲線の途上にあり、本書にあるストーリーの多くは、私がバランスを崩したときと、どうやってバランスを取り戻したかに関するものである。

変容型ファシリテーションには、アウター・ゲームとインナー・ゲームの両方が求められる

スポーツ心理学者のティモシー・ガルウェイはこう言う。「人間が試みる努力には必ず2つの勝負の舞台、インナー（内面）とアウター（外面）がある。アウター・ゲームは、外的な目標に到達することを目指して外的な障害を克服するために外部の舞台でプレイされる。インナー・ゲームはプレイヤーの心のなかで起こる[1]」

変容型ファシリテーションのアウター・ゲームでは、ファシリテーターは10の動きを為す。インナー・ゲームでは、ファシリテーターは自分自身の内面で注意に関する5つのシフトを行う。これらのシフトによって、ファシリテーターはその時々に、自分がどのような動きをする必要があるのかを知ることができる。

ファシリテーターが5つの問いにそれぞれ取り組む際には、特定の方法で注意を払えるよう、内面をシフトする必要がある。

1 「主張する」ことと「探求する」ことの間を循環するために、ファシリテーターは**オープンになる**必要がある。状況やグループの中で何が起こっているか、何が必要とされているかに注意を払わなければならないのだ（この1つ目のシフトは、ほかの4つのシフトの基礎となるものである）。

2 「結論を出す」ことと「先に進む」ことの間を循環するために、ファシリテーターは、**タイミングを見極める**必要がある。つまり、グループが合意するために減速する必要があるときか、合意がまったくないし部分的にしかなくとも先に進み続けるべきときか、そして活動を止めて終わらせるべきときかに注意を払う必要があるのだ。

3 「予め道筋を描く」ことと「発見する」ことの間を循環するために、ファシリテーターは**状況に適応する**必要がある。計画した道筋を進むことにこだわるときか、新しい進路を試すために計画した道筋を外れるときかに注意を払う必要があるのだ。

4 「指揮する」ことと「伴走する」ことの間を循環するために、ファシリテーターは**奉仕する**必要がある。グループがしっかりとした指揮を必要とするときか、それともゆとりのあるサポートを必要とするときかに注意を払う必要があるのだ。

5 「外側に立つ」ことと「内側に立つ」ことの間を循環するために、ファシリテーターは**パートナーとなる**必要がある。グループや状況から離れて俯瞰することに重点を置くときと、グループや状況の一部となっていることに重点を置くときに注意を払う必要があるのだ。

注意を払うために雑念に対処する

この5つの注意の払い方は、合理的に行う部分もあれば、直感的に行う部分もある。例えば、私はオープンになるとき、参加者たちが使っている言葉に耳を傾け、分析し、目に見えるジェスチャーや目に見えないエネルギーの微妙な変化にも反応している。ファシリテーションをしているとき、人の話をただ、ひたすら聞いているだけではなく、グループ内で何が起こっているのか、ファシリテーターは何をすべきなのかを把握するために、五感をフルに活用しているのだ。

ワークショップが始まる直前、私を含めたファシリテーション・チームは、必ず「チェックイン」を行うことにしている。チーム・メンバーのそれぞれがどこから来ているかに気づき、共有することから協働を始め、そうすることによって全身全霊、完全体としてその場にいるためだ。チェックインをする際、私はよく自分に語りかけている。「準備はできている。しなければならないほかのことは全部済ませて、私は今、完全にここにいる」と。ファシリテーションの最中は、気を散らすほかのことを脇に置き、この場に注意を払うことが重要であることをわかっているからこそ、私は懸命になって、そのほかのこと（ほかのプロジェクトのタスクや個人的な用事、細かい準備など）を済ませることを重視するのだ。

すべてのファシリテーターは、たとえグループに指示を出していないときも、後方支援、記録、次のアクティビティの準備など、その時々で、注意を払い続ける必要がある。ファシリテーションが以前より難しくなっている理由の一つは（対面であれ、もっとその傾向が強いオンラインであれ）、ファシリテーターも参加者も、携帯電話やコンピュータをチェックするのが習慣化していて、気を散らしてしまい、グループ内で起こっていることに注意を払えなくなってしまうからだ。私が仲間のファシリテーターに最もよく念押しするのは、「スマートフォンを見るのはやめなさい」ということだ。注意を払うことの中には、自分自身に注意を払うことも含まれる。それは、自分が気を散らしていることに気づくためでもあり、気を散らしていなければ、認知の器として自分全体を活用するためでもある。

ファシリテーターがグループ内で起こっていることから注意をそらしてしまうのは、外的要因だけでなく、内的要因からでも起こりうる。自分の内面のダイナミクス、すなわちエゴ、反応、投影、不安、防衛、恐れなどにとらわれてしまうのだ。私にこのようなことが起こるのは、ワークショップで誰かに苛立ちを覚えたとき（たいていは、ほかの場所でのほかの誰かとの経験が原因である）や、プロジェクトで起こったことに動揺したとき（たいていは将来起こるかもしれないことを案じているため）である。そういう状況に陥ったときは、ちょうど瞑想の練習で、呼吸に注意を戻し続けることを指示されるように、今ここで起こっていることにもう一度注意を向けることを思い起こす必要がある。本書で紹介する私のファシリテーション失敗談の多くは、私の内面のダイナミクス、特に恐れが、リラックスして注意を保つ能力を圧倒してしまったときのことである。恐れは、貢献、つながり、平等を妨げるのだ。

以前よりも素早く自身の中心に戻ってこられるようになったことで、私のファシリテーションの技量は上がっている。かつてはワークショップで何時間も注意散漫になっていたのが、ほとんど数分で注意力を取り戻せるようになった。かつては、プロジェクトの間、何週間も動揺していたのが、今ではたいてい、数日で落ち着けるようになった。

ファシリテーターの内面の実践は、気が散ることを避けるのではなく、より素早く容易に注意を再び払えるようになることである。この実践によってファシリテーターは、状況に応じてより容易に内面をシフトして動くことができるようになり、それによって参加者が同じように内面をシフトさせて動くことをサポートすることも可能になるのである。

注意を払うことで流動性が生まれる

心理学者のミハイ・チクセントミハイは、**フロー**という言葉を使って、次のような状態を表現している。「ある活動にそれ自体を目的に完全に没頭していること。エゴは消え去る。時間は飛ぶように過ぎる。ジャズを演奏するときのように、すべての行動、動き、思考が、直前のものから必然的に続く。自分という人間全体が没頭し、自分のスキルを最大限使っている」[2]。最高の状態でファシリテーションしていて、グループで起こっていることに十分に注意を払っているとき、私はフロー状態にある。このように十分に注意を払っている状態のときは、ぞくぞくするほど効果的に事が進む。

マサチューセッツ工科大学の研究者であるオットー・シャーマーは、「**プレゼンシング**」という言葉を使って、「出現しつつある未来の可能性」を感じとり（センシング）、存在する（プレゼント）状態を表現している[3]。そして、その反対の状態を「**アブセンシング**」という言葉で表現する。ファシリテーターは、グループの中でその瞬間瞬間で起こっていることに気づくようになるために、ゆとり、思いやり、冷静さをもって、アブセンシングではなくプレゼンシングを行うことが求められる。これは、ファシリテーターがたとえそれが予想や希望と違っていたり、驚きや混乱、動揺をもたらすものであったりしても、今、実際に起こっていることに気づくために必要な注意の質であり、それによって適切に動き、内面をシフトさせることができるのである。

ファシリテーターは、実践によって注意を払うことを学ぶ

グループで変容型ファシリテーションを用いるファシリテーターは、強風の中で小船を操る船乗りのようなものだ。船乗りは風をコントロールすることはできない。よって、風によって起こることに動揺してエネルギーを浪費してはいけない。風上に向かって船を動かす方法は、船首を風に対してまっすぐに向けることではない。風上から約45度の角度に船首を向けて進み、折り返して反対の45度の角度に船首を向けるタッキングを何度も繰り返してジグザグに進むことである。船乗りたちは、船首の向き、帆の位置、船の中で体重をかける位置などを、しなやかに調整しながらタッキングする。経験豊富な船乗りは、船の中や周りで起こっていることに、合理的かつ直感的に注意を払うことによって、次にどのような動きをするべきかを知る。そのための貴重な道具の一つが、帆に取り付けられた小さな糸（「テルテール」と呼ばれる）である。この糸が指し示す方向によって、船に対する風向きのわずかな変化がわかる。船乗りが注意を怠れば、船は前に進まない――転覆する可能性すらある。

同様に、ファシリテーターに求められる中核的なスキルは、注意を払うことだ。経験豊かなファシリテーターは、グループのメンバーたちの内面やメンバー間、そしてグループを取り巻

く文脈で起こっていることに合理的かつ直感的に注意を払うことによって、次にどのような動きを為すべきかを知る。ファシリテーターはいわば、グループに現れるテルテールに注目する。例えば、グループが1つの極のマイナス面から抜け出せなくなり、対極のプラス面に向かう反対の動きをするようファシリテーターに求めているときにされる典型的な発言は、テルテールとなる。ファシリテーターが注意を怠れば、コラボレーションは前に進まない——転覆する可能性すらある。

変容型ファシリテーションは線形ではない。まっすぐに進むのではなく、2つの相反するアプローチの間を行ったり来たりする必要がある。そして、外側にあって目に見えるものだけでなく、内側にあって目に見えないものにも注意を払わなければならないのだ。

＊

ヒレルは今から2100年前、エルサレムに住んでいたラビである。一人の生徒があるときヒレルに対して、片足立ちしながらユダヤ教の修行の基本原則を説明するよう挑んだというストーリーがある。ヒレルはほかのラビのようにその生徒を追い払うことはせず、こう答えた。

「あなたにとって憎むべき事柄を、ほかの人に行ってはならない。それが律法のすべてであり、残りはその解釈である。勉強しなさい」[4]

未だかつて、誰からも片足立ちで変容型ファシリテーションについて説明するよう頼まれたことはないが、もし誰かにそう頼まれたら、こう答えるだろう。「注意を払いましょう。残りは解釈です。実践しなさい」。本書の次のパートでは、変容型ファシリテーションの実践について説明する。

第2部

変容型ファシリテーションの実践

The Practice of Transformative Facilitation

ファシリテーターは、変容型ファシリテーションを用いて、グループが協働して状況を変容させることを支援する。

第1部の冒頭で紹介した例をもう少し詳しく見てみよう。あるエンジニアが全社的な製品立ち上げチームを指揮することになる。2人の管理職が教育委員会の人種平等委員会を立ち上げ、そのプロセスを支援する外部のコンサルタントを雇う。人事部長とその部下が、グローバルな非営利団体の文化を変容させるタスクフォースを組織する。複数の組織から集まったチームが、公衆衛生に関する同盟の活動を調整する。関心の高い5人の市民が地域経済の活性化グループを結成する。

私たちは、これらすべての場面で、またその他の場面で、地元のファシリテーターと協力してきた。そのなかで変容型ファシリテーションの中核をなすのは、グループが、第4章の冒頭で挙げた5つの問いに取り組むことを支援することであると学んだ。ファシリテーターは必要に応じて、5対の外界での動きと5つの内面のシフトを行うことによってこれを実践する（第5章で議論し、巻末の表「変容型ファシリテーションの全体像」に図示）。そうすることで、ファシリテーターは自分自身の行動を変容し、グループの行動と取り組む状況の変容を支援する。

本書を執筆中の2020年4月、私は都市部のマンションから田舎の一軒家に引っ越した。それに伴い、毎日のジョギングの習慣も変わった。これまで標識のある碁盤の目のような道を走っていたのが、標識のない小道が交差する森の中を走るようになったのだ。何週間も道に迷い続けたが（とりわけ執筆中のことに気が取られているときは）、ついに倒木や空き地、広がった道幅など、それぞれの地点で曲がるべき方向を示してくれる標識を見分けることができるようになった。私は頭の中に地図を作り上げたのだ。

変容型ファシリテーションは、この森の中を走るようなものだ。グループが進むべき道を見つけるのを支援するために、ファシリテーターはその瞬間瞬間、グループの中と周りで起こっていることの兆候に注意を払い、それぞれの時点でどのように動き、どのように内面をシフトすべきかを知る必要がある。

次の5つの章では、すべてのグループが共に前に進むために繰り返し取り組む必要のある5つの問いと、それを支援するためにファシリテーターが行うべき動きと内面のシフトの全体像を示す。

第6章 私たちの状況をどのようにとらえるか？ ——「主張する」ことと「探求する」こと

変容型ファシリテーションにおいて、最初に取り組むべき、そして何度も何度も立ち返る必要のある基本的な問いは、「私たちの状況で何が起こっているかについて、どのように理解するか」である。

垂直型ファシリテーションでは、参加者はそれぞれの置かれている状況について、自信を持って**主張**しながらこの問いに答える。「正しい答えを私たちが持っている」と。ファシリテーターも、ファシリテーションのプロセスについて、全く同じように答える。それぞれの答えに相違がある場合、提案者同士でディベートを行い一つの優勢な答えを導くか、あるいは最も声の大きい提案者の「判決」によって解決される。このアプローチのプラス面は、専門家の貢献を決定的に利用することである。一方でこのアプローチを過度に重視して、多様性や包摂の余地を考慮しないと、グループシンク（グループ全体が支持するが間違っている答え）や否認（グループの多くのメンバーが支持しない答え）が生み出されてしまう。

対照的に、水平型ファシリテーションでは、参加者は「それぞれ自分の答えがある」と言う。ファシリテーターは、この複数の答えについて**探求**する。このアプローチのプラス面は、多様な貢献を含むことである。しかし、専門知識や決断力の余地がないまま、このアプローチを過度に重視すると、不協和音や優柔不断を生み出してしまう。

変容型ファシリテーションは、2つの極の間を循環することで、両者の最も優れた面を得て、最悪の事態を回避する。ファシリテーターは、ある特定のプロセスを主張すること（グループで何が起こっているのか、それに対してグループが何をすべきなのかを率直に提示すること）と、これらの事柄について参加者の視点を探求することの間を行き来する。このとき、ファシリテーターは参加者に対し、自分たちが取り組んでいることの内容、つまり「現状で何が起こっているのか、それに対してグループは何をすべきか」について、主張と探求の間を行き来するよう促す。答えの中には参加者が賛同するものもあれば、賛同しないものもある。主張と探求の間を循環することによって、貢献（参加者が複数の理解を提供し、共有の理解を構築するスペースを提供すること）、つながり（参加者がつながりを持ち、理解を集約する場を提供すること）、平等（より強いものが理解を押しつける場を制限すること）の障壁が解消される。

この2つの外側の動きを循環させるためにファシリテーターに求められる内面のシフト、つまり具体的な注意の払い方は、**オープンになる**ことだ。何が起きていて何が必要なのかについて、複数の視点を考慮し、意味を理解しようとするのである。

そして、ファシリテーターが最初に、しかも瞬間瞬間に、何度も何度も為さねばならない基本的な選択は「主張することに重点を置くのか、それとも探求することに重点を置くのか」である。

グループがオープンになる

1991年9月の美しい土曜日の午後、南アフリカのケープタウン東部のワイン産地にある居心地のいいモン・フルー・カンファレンス・センターで、私は初めて変容型ファシリテーションなるものを目の当たりにした（これまでの著書の読者はお気づきだろうが、今回もまた、モン・フルーでの体験から始めている。ある部分は馴染み深く、ある部分は新しいものだ。これは私が初めて変容型ファシリテーションを体験し、その後に影響を及ぼす重大な機会であった。私はこの30年間、そこで見たものを理解し、活用することに取り組んできた。しかし、本著では、モン・フルーで示された、困難な問題や愛と力の相互作用、変容型シナリオ・プランニングの方法論、敵との協力の可能性について焦点を当てるのではなく、変容型ファシリテーションによって起こったブレイクスルーについて焦点を当てることにする）。

トレヴァー・マニュエルは、その前年に白人の人種差別主義政府によって合法化されたばかりの左翼解放運動、アフリカ民族会議(ANC)の経済計画局責任者であった。マニュエルの部局は、人種差別のない民主主義への移行に向けたANCの経済政策に関するポジションペーパー「再分配《リディストリビューション》による成長」を作成していた。その内容は、裕福な少数派の白人から貧しい多数派の黒人へ富を移転することによって経済成長を促進しようというものであった。

南アフリカ社会のあらゆる分野から集まった28人のリーダーたち――黒人と白人、野党と体制派、左派と右派、男性と女性、政治家、企業、市民団体など――が、この重大な移行をいかに実現するかを話し合うために、週末を通じてモン・フルーで行われたワークショップに参加していたのだ。私はこのワークショップのファシリテーターを務め、参加者たちに小グループに分かれてもらって、南アフリカで起こりうるシナリオ、つまり、「何が起こって欲しいか」ではなく、「何が起こりうるか」について、探求するように依頼していた。

カンファレンス・センターの各部屋に分かれて作業しているグループを見て回っていた私は、地下のレクリエーションルームに入った。ちょうどマニュエルがソファに座って、チームが考える必要があると思うシナリオを説明しているところだった。「同志のみなさん、このシナリオを『抑圧による成長』と名付けました。チリのピノチェト政権のように、経済的自由を推進する一方で、政治的自由を抑圧する右派の黒人政権が南アフリカに誕生するストーリーです」。この言葉遊びでマニュエルは、彼が生涯忠誠を誓ったANCが社会主義思想を捨てたらどうなるかを思案していたのである。

そこに、対立する黒人政党である急進的なパン・アフリカニスト会議（PAC：スローガンに「一入植者［白人］、一弾丸」がある）で経済政策を統率するモズビアン・マラツィが立ち上がり、「中国の人民解放軍が反体制側の軍隊の救出にかけつけ、その支援で南アフリカ政府を打ち負かす」という、党の希望に重なるシナリオを提示した。

私は、提示されたシナリオに対して「このシナリオは好きだ」「嫌いだ」と言って反応するのではなく、「なぜこのシナリオが起こるのか」「次に何が起こるのか」という問いかけだけするように参加者に指示していた。マラツィは自分のストーリーを話して、他の参加者たちからこれらの質問を受けた。そして、自分のストーリーが起こりえないことに気づき、席について、その後二度とこのストーリーに言及することはなかった。

モン・フルーのワークショップは、政治的、イデオロギー的な闘争が激しい時期、生涯の宿敵同士を引き合わせた。中でも、マニュエルとマラツィという第一党を争う2つの野党の政治家たちが、自党の正説に公然と疑問を投げかけていたことは注目に値する。「正しい答えを私たちが持っている」と主張するのでもなく、「それぞれ自分の答えがある」と言って終わるだけでもない。むしろ、リラックスした雰囲気の中で、自分の考えを率直に述べ、他者の考えを聞いていた。彼らは、主張することと探求することの両方を行い、これらの動きによって、新しい共通言語と、新しい共通理解を共創していたのだ。

なったのだ。

交流を生んだ。これまで人種や党派を越えて話すことができなかった人たちが、話せるように

ヨハン・リーベンバーグは、アフリカーナ(南アフリカのオランダ系白人)で、鉱山会議所の労働交渉の最高責任者であった。鉱業は南アフリカの最重要産業であり、その経営は経済的にも社会的にも非白人を支配するアパルトヘイト体制と密接に絡み合っていた。つまり、このチームでは、リーベンバーグは体制側の最たるものを代表していたのだ。ある日の午後、彼はANCにおいてマニュエルの右腕であったティト・ムボウエニと散歩に出かけた。リーベンバーグは、そのときの会話のオープンさや、ムボウエニが主張だけでなく、探求していることに驚きを覚えたことを振り返った。

1日のワークを終えてティト・ムボウエニと長い散歩に出かけた。山道を歩き、ただただ話した。1年前なら、ティトは私が口をきくことはまずあるまいという類の人間だろう。彼は、とても歯切れのよい、とても聡明な男だった。私たち白人はそういう黒人に会うことはめったになかった。彼らのような黒人たちがどこに埋もれていたのかわからない。ほかに私が会ったことのある同じ器量の黒人といえば、敵対する役目で私の反対側に座っている労働組合員だけだった。ことさら彼らのオープンさが、私には新鮮だった。「いいか、いつか俺たちが支配する時代になれば、こうなるんだ」と言い張る

連中ではなかった。「なあ、どうなるんだろう。話し合おうじゃないか」と言える人物たちだった。

ハワード・ガブリエルズは、社会主義の全国鉱山労働者組合の元役員であり、リーベンバーグとは過酷な交渉で敵対してきた人物である。彼は、モン・フルーでのリーベンバーグとの出会いをこう語っている。

> 1987年、組合は34万人の労働者をストライキに動員し、そのうち15人が殺され、300人以上が重傷を負った。私の言う「傷を負った」とは、かすり傷程度のことではない。彼は敵で、私はそこにいて、その生傷がまだうずくうちに同じ部屋でこの男と一緒に座っていたのだ。モン・フルーのおかげで彼は私の視点から世界を見ることができたし、私は彼の視点から世界を見ることができたと思う。

ガブリエルズは、シナリオのブレーンストーミングの第1ラウンド（先ほどのマニュエルとマラツィのシナリオ共有もこのときにあった）の率直さについて、後に次のように振り返っている。

> まずぎょっとしたのは、何の前触れもなく未来をのぞきこむことだった。当時、国の

未来について一種の陶酔感があったにもかかわらず、語り合ったストーリーの大半は、「朝、新聞を広げると、ネルソン・マンデラ暗殺」の見出しからはじまってその後何が起こるか、というようなものだった。そんなふうに未来を考えることはとてつもなく恐ろしいことだった。突然、ぬるま湯につかった状態から放り出される。未来をのぞきこんだ者は、資本主義も自由市場も社会民主主義も論じはじめる。資本主義者がいきなり共産主義を論じはじめるのだ。そして、そんな既定のパラダイムはすべて消え去っていった。

ある小さいグループ・ディスカッションで、PACのマラツィが話しているときにリーベンバーグがフリップチャートに板書していたことがあった。マラツィが「これで間違いないかな。『(南アフリカの行政上の首都)プレトリアの非合法の人種差別政権が……』」と話すのをリーベンバーグは冷静に書き記していた。リーベンバーグは自分の宿敵の挑発的な見方をきちんと聞き、きちんと表現することができた。

私は、このような複雑で混乱し、対立する状況の中で、人々がこれほどまでに生産的に協力している例を目の当たりにし、驚きを覚えた。企業や研究機関で働いていたときには、「正しい答えを私たちが持っている」という趣旨の発言をよく耳にし、口にしていたが、ここではもっとオープンでリラックスしていた。南アフリカの人々は、自分たちの考え方こそが真実である、優勢でなければならないと主張するわけでもなく、すべての考え方が等しく有用であると単純に受け入れているわけでもない。自分の意見を主張することと、他の人の意見を探求することの間を行き来していたのだ。

ファシリテーターがオープンになる

モン・フルーに集う参加者のコラボレーションは、ファシリテーターたちによる変容型ファシリテーションに支えられていた。**ファシリテーターたち**というのは、このコラボレーションを支えていた私たち全員のことである。このプロジェクトは、野党寄りのウェスタンケープ大学の3人のスタッフによって企画された。社会開発学の白人教授ピーテル・ル・ルー、政治学の黒人教授ヴィンセント・マファイ、そして黒人コミュニティ活動家ドロシー・ブーサックである。彼女らは、シナリオ・プランニングの手法を用いて、起こりうる未来について一連の論理的なストーリーを構築したいと考え、このプロジェクトに私を招いたのだ。[1] 当時、私はシェル社のグローバル社会・政治・経済シナリオチームのリーダーを務めていた。シェルは、事業環境の不確実性に対処するための戦略立案ツールとして、シナリオ手法を他社に先駆けて導入していたのだ。シェルはアパルトヘイト下にあった南アフリカからの投資撤退を拒否したため、北米や欧州の消費者運動家からボイコットされていた。それで、この反対運動主導のプロジェクトに私を派遣してほしいと頼まれた上司たちは、即座に了承したのだ。
モン・フルーは、私の働き方、在り方に転機をもたらした。私は昔から知ったかぶり屋で、自分が正しいと思うことが好きだった。学生時代は自信もあり、成績も良かった。大学では物理学と経済学を学び、研究職や経営企画職に就いたことで、問題を外と上からの視点で捉え、素早く正解を導き出し、それを積極的に主張する力を身につけていたのだ。私がシェルの企画部門に採用されたのは、こうした訓練と、米国の電力・ガス業界に関する専門知識があったからだ。

しかし、シェルに入社してからは、新しいやり方で仕事をするようになった。シェルでは、プランナーの役割は計画を立てることではなく、会社の幹部たちが計画を立てられるようにファシリテーションすることだったからである。私たちの仕事は緻密かつ中立的に体系化されていた。クライアント（シェルの幹部たち）と予め合意し、準備段階では幹部たちへ自由形式でのインタビューを行い、構造化されたワークショップのアジェンダをデザインし、そして世界中でそのワークショップを進行する。私たちはプロセスの専門家であり、幹部たちはコンテント（内容）の専門家である。私たちが質問を投げかけ、幹部たちが答えを出すのだ。

モン・フルーにおいてもこのファシリテーションのアプローチを採ったが、いくつか決定的な違いがあった。私は南アフリカが歴史的な転換期を迎えていることは知っていた。ル・ルーの説明によると、今回招いた参加者のほとんどは、より良い南アフリカの国作りを実現するために人生をかけて戦ってきた人たちで、中には亡命したり、刑務所や地下に潜ったりしてきた人たちも含まれていた。私は南アフリカのことをよく知らなかったし、まさか自分が南アフリカと関係を持つなどと思ってもいなかった。さらに、これはシェルのプロジェクトではないので、グループが焦点を当てるべき正しい問いについて、私自身の専門的な見解を持っていなかったのである。

そのため、私は自分にとって例外的なレベルの敬意、中立性、好奇心、謙虚さ、そして注意深さをもってモン・フルーにたどり着いた。そのときはまだ知る由もなかったが、それが変容型ファシリテーションのための完璧な準備となっていたのだ。それから、私は何十年もかけて、当時私が意識せずに行ったことが何であったかを理解していった。私は「正しい答えを私たちが持っている」という思考のボタンを一時停止して、よりオープンな気持ちで貢献することができたのだ。自分の専門知識を提供することに変わりはなかったのだが、いつものような傲慢さはなかった。私は無知な質問をした。仏教の鈴木俊隆老師は「初心者の心には多くの可能性があるが、専門家の心にはわずかな可能性しかない」と述べている。[2] 私はその場所に初心をもって臨み、参加者もそれに気づいた。ガブリエルズは私に、「初めて会ったとき、こんなに何も知らないことをさらけ出す人がいるなんてにわかに信じられませんでした」と言った。「あなたは私たちを操ろうとしているのだとばかり思っていました。しかし、あなたは本当に何も知らないということがわかったとき、あなたを信じることにしたのです」

参加者も、他のファシリテーターも、そして私自身も、モン・フルーに参加した誰もが、私たちの取り組みにとって重要な専門知識を持ってそこにいあわせた。誰もが、他の人たちが学ぶべきことを自分が知っていると確信していたのだ。同時に、私たちは皆、オープンな姿勢でその場に臨んだ。参加者の多くは、それ以前の長きにわたって、大きなリスクを負い、多大なエネルギーを費やして勝ち取ってきた、熾烈な立ち位置を固持していた。しかし、モン・フルーでは、歴史的な機会であること、超党派のプロジェクトという枠組み、美しい自然の中の穏やかな会場などが相まって、自分たちの問題の絡み合う状況における未知の側面と可能性に対して肩の力を抜いて臨むことができたのである。この脱力こそが、リーベンバーグがムボウエニとの会話で衝撃を覚えたことだ。「なぁ、どうなるんだろう? 話し合おうよ」。主催者の3人は、いずれも確立された政治的見解を持ちながら、それを隠しだてすることなく、自分たちの友人や同盟者にとどまらず、入念に南アフリカ社会の多様性を代表する人々を招集し、集まったすべての人に温かさと敬意をもって接したのである。私は、シェルの確立された方法論と、謙虚さと好奇心をもって臨んだ。一人ひとりのオープンな姿勢が、他のメンバーのオープンな姿勢を可能にし、それが私たちが共に、この国の新しい可能性を生み出す新しいつながりと新しい貢献を生み出すことを可能にしたのだ。

力強く新しい可能性を生んだこのオープンさは、ファシリテーターがコラボレーションの障害を体系的に除いていったことで生まれた。ファシリテーターは、参加者全員がすべてのセッションに貢献する機会を均等に持ち、すべての食事を一緒に食べ、同じタイプの質素な寝室を他の参加者と共有するという、団結した平等主義の「社会の島」を作った。このような動きにより、貢献、つながり、平等が劇的に改善され、南アフリカの人々がアパルトヘイト制度の抑圧的な行き詰まりを**突破**する方法を見いだすという目的が実現されたのである。

また、モン・フルーでのオープンな姿勢は、私にも新しい可能性を与えてくれた。私は、変容をもたらすこの協働の方法、南アフリカの美しさと活力、そしてプロジェクトの主催者であるドロシー・ブーサックに惚れ込んでしまったのだ。この経験のすべてが、私の中にあった「よそ者」意識を打ちのめした。1993年、私はシェルを辞め、ロンドンからケープタウンに移住し、ファシリテーターという職業に就き、ドロシーと結婚した（その8年前なら、私たちの人種を越えた結婚は法律で禁止されていただろう）。結婚式は、モン・フルー・カンファレンス・センターで行われ、新しい可能性の喜びに満ちた祝福であった。

「主張する」と「探求する」を両立させる鍵はオープンになること

オープンになることによって、参加者とファシリテーターは、主張と探求の間を流動的に循環し、それによって、「正しい答えを私たちが持っている」という垂直の極と、「それぞれ自分の答えがある」という水平の極を超えることができる。オープンになることによって、垂直型のマイナス面である間違った答えや裏付けのない答えを回避し、水平型のマイナス面であるバラバラな答えの混在を回避することができるのだ。

モン・フルーにおいてすべての者がとった決定的なステップは、自身の考えが正解ではないかもしれないという可能性に注意を払い、オープンになったことだった。参加者たちがオープンになったのは、この国で起こりつつある変化、つまり彼らのアクションは新しい、より良い未来に資する可能性があったことと、また、未来は基本的に予測不可能であり、それゆえに影響を与えることができることを出発点とするシナリオ手法があったからである。詩人のベティー・スー・フラワーズは、「2つのシナリオを持つことは、2つの異なるレンズを持つようなものである。ひとたび2つの異なる世界を見ることに慣れると、第3、第4のシナリオを想像するのは簡単なことだ」と語っている。モン・フルー・チームが構築した4つのシナリオによって、彼ら、そして彼らを支持し彼らとストーリーを共有する人々は、何が起きていて、何が起こりうるのか、そしてそれが自分たちのできること、すべきことに何を意味するのかについて、より広く、より明確に見ることができるようになったのだ。

すべての複雑な紛争状況の基本的な特徴の一つは、解決策がある問題が単純にそこにあるわけではないということである。それぞれの参加者がそれぞれの視点から、それぞれの理由で問題を捉えているゆえに、問題の絡み合う状況になっているのだ。そのため、どのステークホルダーも、問題を診断し、解決策を処方し、実施するための専門知識や信頼性を持ち得ないのである。一つの正しい問題定義と一つの正しい解決策を主張することは不適切なのだ。

コラボレーションには、違いや対立を避けるのではなく、それに関わることが必要だ。参加者は、「正しい答えを私たちが持っている」という縦軸と、「それぞれ自分の答えがある」という横軸を超えていくことが求められる。そのようなアプローチが、参加者が行き詰まった答えから抜け出し、新しい答えを見いだすために必要である。モン・フルーの参加者は、ただ共感して話を聞くだけでなく、激しく、長く議論し、自分たちの状況を変容させるために、皆で貢献するという合意に至った。

ファシリテーターが動きを作る

ファシリテーターの仕事は、プロセスに関するガイダンスを提供することだ。「みんな自分の答えを持っていて、自分のやり方でやるだろう」という水平型の発言では済ませられない。また、恐れを抱いている初心者が使うような、「正しい答えを私が持っている、私のプロセスを信じなさい」という垂直型の指示にも頼れない。ファシリテーターは、参加者と同じように、自分の経験を持ち出すことと、その場のニーズに耳を傾け調整することの間を行ったり来たりしてこそ、参加者を支援することができるのだ。

私がこうした動きをするための能力を身につけたのは、南アフリカに移住し、プロのファシリテーターとして独立して、企業や市民社会組織、新政府の内部や横断的なコラボレーションをファシリテーションするようになってからだ。私は、モン・フルーのさまざまなメンバーから、独立当初のプロジェクトの契約をとった。例えばある日は、鉱山会議所のリーベンバーグと打ち合わせをしたあとに、車でPACのマラッィと打ち合わせをしにいくといった具合に、短いながらもめったに使われないルートでヨハネスブルグを走り回っていた。南アフリカでの生活と仕事（新婚で10代の継子が4人いた）は、違いを超えて仕事をすることを学ぶ機会をたくさん与えてくれた。

ファシリテーターとして活動するようになってから、MITスローン・スクール・オブ・マネジメントの研究者グループと協働して、現在私が変容型ファシリテーションと呼ぶ理論と実践を徐々に発展させていった。MITの一連の研究の基礎となるモデルの一つは、エドガー・シャインのプロセス・コンサルテーションであり、「何が問題で、それに対して何ができるかを考えるプロセスにクライアントを参加させる必要性を強調している」[3]。シャインは以下のように書いている。

今日の複雑な問題は、特定のツールで解決できるような「技術的な問題」ではない。私たちにできる最良のことは、実行可能な対応策、つまり、私がここで「適応型の動き」と呼んでいるものを見つけることだ。そのためには、より対話的で開放型の新しい種類の会話が必要になる。この文脈では、「動き」という概念を強調することが重要である。必ずしも計画や解決策を念頭に置かずに行動することを意味するからだ……適応型の動きは、コンサルタントのバッグの中のもう一つの「ツール」でも、「いつ何をすべきか」についての公式でもない。なぜならば、多くのことが実際の複雑な状況によるものだからである。[4]

変容型ファシリテーションは、ファシリテーターと参加者による、5対の動きに着目する。最初の対は、「主張する」ことと「探求する」ことである。

＊

1990年、シャインの同僚であるピーター・センゲは、『学習する組織』(英治出版、2011年)というとても影響力のある本を著した。同書は「主張する」ことと「探求する」ことのバランスを取るなど、この分野の研究成果の重要な要素を統合したものだ。[5] センゲの紹介で、私は南アフリカのルイス・ファン・デル・メルヴェというビジネスコンサルタントと仕事をするようになった。南アフリカの企業文化は、垂直型に染まったものだった。あるクライアントは、5本の指を握りしめながら、「5ポイント・プラン」を持っていると語ったほどだ。ファン・デル・メルヴェと私は、この困難な状況下で変容型ファシリテーションの適用に取り組んだのだが、彼ははじめに最も重要な教訓を与えてくれた。それは、多くの人が(ガブリエルズが私に言ったように)ファシリテーションを操作的な垂直的な強制の一形態と考えているが、私たちが行っていることは根本的に異なる――私たちの役割は、参加者が自ら進む道を見つけられるようにするということだ。同時に、私たちのアプローチは、平等主義的、人間主義的なイデオロギーを暗黙のうちに具現化したものであり、すべての参加者は、自分が関わっている問題の絡み合う状況の解決に貢献する必要があった。

ファン・デル・メルヴェは、センゲの方法論に基づいた3日間の戦略ワークショップのプロセスを教えてくれた。[6] 私は実践をとおして、このワークショップをどうファシリテーションするかを学んだ。ある南アフリカの大企業ですべての部門の管理職を対象に、毎週、15回のワークショップを開催したのだ。ワークショップのプロセスでは、管理職たちが主張することと探求することを通じて戦略を発展させられるようにするための方法論を重視した。チェックインとチェックアウトで全員が自分の視点を提供する機会を与えること。フリップチャートと付箋を使って全員のアイデアを可視化し、それらのアイデアを結びつけて繰り返し発展させる一連の会話。構造的なステップで提案を準備した上で、どの提案を進めるかを決めること。企業の垂直型の文化の中で、こうした方法論を用いた変容型のプロセスは、参加、学習、進歩を可能にした。

ファシリテーターがあるプロセスを主張すると同時に、それに対する参加者の意見を探求するという方法論も取り入れた。ワークショップのアジェンダを提示し、それが参加者の期待に応えているかどうかを確認した。途中でアジェンダの変更が必要と思われる状況が発生した場合は、透明性を持ってグループと交渉した。各日の最後に、一人ひとりにフィードバックを書いて提出してもらい、翌日のアジェンダの調整に役立てた。

どのワークショップでも同じ参加者討論用の問いを使っていたが、ファン・デル・メルヴェは、前日の晩にその指示文をフリップチャートに書き出すことにこだわった。何度も使えるように、なぜラミネート加工をしないのかと尋ねると、「書き出すことで、頭の中でワークショップのリハーサルをすることができ、準備態勢も整い、緊張することもなく、必要なときに必要なだけ反応し、その場に完全に存在することができるからだ」と答えた。パワーポイントのスライドを作るのではなく、すべてフリップチャートに手書きしたのは、ワークショップの間中、これらの手作りのものを見えるようにしておくためであり、また、これらの指示がすべてドラフトであり、必要に応じて作り直すことができることを示すためだった。変容型ファシリテーションの基本である、小さくてシンプルで微妙な動きや内面のシフトを初めて体験する機会であった。

＊

見習いファシリテーターである私は、より多くの手法を習得することに飢えていた。ファン・デル・メルヴェの書棚には、ファイファー社が出版するワークショップ用アクティビティ集の年鑑があり、私はそれを勉強させてほしいとせがんだ。彼は背の高い書棚にあった本すべてを私が座っているキッチンテーブルまで運んできて、「読むのは自由だが、たいして役には立たないだろう」と言ったのだ。

彼は正しかった。それ以来数十年間、私は年に1回程度、異なる経験を持つ新しい同僚と一緒に仕事をすることで、新しい手法をレパートリーに加えてきた。しかし、私がファシリテーターとしての腕を上げたのは、大方新しい方法論の習得によるものではない。この本に書かれている5対の外側の動きと5つの内面のシフトをどのように使うのがベストなのか、関わってきた特定の状況において、注意深く観察することで、腕に磨きをかけたのだ。

ファシリテーターは、話すこと、聞くことをオープンにする

シェルに在籍していた頃、私のファシリテーションの師匠は、シナリオ部門長のキース・ヴァン・デル・ハイデンだった。彼のチームの率い方や、クライアントである会社の幹部にとって有益になるよう進められるファシリテーションは、私が現在、プロセス・コンサルテーションや変容型ファシリテーションとして認識しているアプローチの範となった。[7] 彼は厳しさと謙虚さを併せ持ち、私たちは専門であるシナリオと戦略の方法論を駆使して、クライアント

が懸念している問題に対処できるようにしているのだと主張した。

私たちと幹部たちとの重要なつながりは、対話式インタビューだった。彼らが抱えている、問題の絡み合う状況に対する懸念や疑問を引き出すために、自由形式の質問を行っていた。このような一対一の対話は、変容型ファシリテーションの典型的な例である。インタビュアー兼ファシリテーターは、純粋な好奇心をもって、インタビュー対象者兼参加者が、何が起きているか、それに対して何をすべきなのか、についての考えを明確にするのを助けるのだ。

このような対話において、ファシリテーターに求められる重要なスキルは、判断せず、共感をもって聞くこと、つまり、ファシリテーターがこうではないかと考えることではなく、ステークホルダーが話していることをありのままに聞くことである。私は以前、ヴァン・デル・ハイデンがある幹部にインタビューしているときに横に座り、その後で互いのメモを見比べたことがある。そのとき、私は自分の反応や判断、予測にばかり気を取られていたために、経営者の話をどれほど聞きもらしていたかを知り、衝撃を受けた。聞くということは単純なことだが、決して簡単なことではない。

＊

その後、私が独立してファシリテーターとして仕事をするようになると、MITでシャインやセンゲの同僚だったオットー・シャーマーが協働者となった。シャーマーは、話すことと聞くことの4つのモード、すなわち、「ダウンローディング」、「討論（ディベート）」、「対話（ダイアログ）」、「プレゼンシング」を区別している。[8]

▽ダウンローディング

第1のモードは、「ダウンローディング」である。このモードにおける話し方では、人々はいつも言っていることを、まるでインターネットから音声録音をダウンロードしているかのように話す。ダウンローディングを行うのは、今話していることがこの状況で唯一言えることだと考えているためで、その理由は確信を持っているか、礼儀正しすぎるか、新しいことを言うのが怖いかのいずれかである。ダウンローディングは純粋な主張であり、垂直型ファシリテーション（「真実は……」）と水平型ファシリテーション（「私自身の真実がある」）の両方の典型的な症状である。変容型ファシリテーションを行うには、ダウンローディングからの脱却が必要となる。

ダウンローディングのモードでの聞き方では、人は全く話を聞いていない。ただリロードしているだけである。相手の口の動きが止まるのを待って、何が真実なのかを再び伝えようとするのだ。他の人が何を話しているのか、自分の外で何が起こっているのかに耳を傾けず、その状況に対する自分の考えだけに注意を払っている。もしかしたら、状況についての自分の考えと、状況そのものを区別すらしていないかもしれない。自分の考えを状況に投影しているのだ。

自分の額に探検用ライトをつけて、今起こっていることを照らし出していると思っているかもしれないが、実際にはそのライトはプロジェクター、つまり投影機となっているのだ。

▽討論（ディベート）

第2の話し方、聞き方のモードは、「討論（ディベート）」である。意見を衝突させることだ。このモードの話し方では、各人が自分の考えを述べる（「私の意見では……」）。聞き方は、外から、事実に基づいて客観的に、まるでディベートのジャッジや裁判の判事のように聞く（「これは正しくて、それは間違っている」）。このモードはダウンローディングよりもオープンで、人々は異なる意見を述べたり聞いたりするようになる。それが真実ばかりでなく、意見であることを自覚しているからだ。このモードでは、主張することと探求することの両方が行われる。

▽対話（ダイアログ）

第3の話し方、聞き方のモードは「対話（ダイアログ）」だ。対話モードの話し方は、内省的になる（「私の経験では……」）。「私はこう思う」だけでなく、「私はこう感じる」や「私はこうしたい」も含まれる。対話モードの聞き方では、まるで相手の体に入り込んだかのような立場から、共感的に、主観的に話を聞くことになる（「あなたがどの立場からそのように考えるかを聞きます」)。このモードでは、よりオープンな形で、主張と探求がしっかり行われる。

▽プレゼンシング

4つ目の話し方、聞き方のモードは「プレゼンシング」である。これは、何かが生じようとしているプロセスにあることを察し感じとること(pre-sensing)と、注意深くひたむきにその場に完全に存在すること(present)を組み合わせた造語だ。この場合、特定の一つの考えや一人の人にだけ注意を払うのではなく、より大きなシステムの視点から聞く(「今ここで気づくことは……」)。プレゼンシングが起きている集団にいると、まるで人と人とを隔てる境界が消え去ったかのようになる。そのため誰かが話せば集団全体やシステム全体の何かを明確に表現しているかのようになり、聞く人は集団全体やシステム全体の話を聞いているかのようになる。プレゼンシングは、主張と探求を完全にオープンにする方法だ。

＊

南アフリカに移って数年後、ドロシーと私は聖公会の地域主教協議会の戦略ワークショップで共同ファシリテーターを務めたことがある。初日、私たちは、既存の視点や立場を再生産するのではなく、ダウンローディングを越えていけるような、会議の規範について話し合っていた。ある主教は、「私たちは互いに耳を傾けなければなりません」と提案した。もう一人は、「いや、ブラザー、それでは不十分です。私たちは共感をもって耳を傾けなければなりません」と言う。そして3人目が言った、「それではまだ不十分です。私たちは、私たち一人ひとりの中にある神聖なものに耳を傾けなければならない」。この3つの提案によって、司教たちはシャーマーのモデルである討論（ディベート）、対話（ダイアログ）、そしてプレゼンシングを再現した。プレゼンシングとは、グループやシステムの最高の可能性から話し、耳を傾けることなのだ。

ファシリテーターは、3つのシフトによってオープンになる

シャーマーのモデルでは、閉じた話し方・聞き方からより開いた話し方・聞き方へ移行するための3つの具体的な実践方法を提示しており、私はとても有益なものであると実感した。それは、「保留する」（「開かれたマインド」）、「視座を転換する」（「開かれたハート」）、「手放す《レッティング・ゴー》」（「開かれた意思」）である。

▽保留する

「保留する」ことは、垂直型と水平型のダウンローディングの下方スパイラルから、変容型ファシリテーションに向かう最初の動きであり、それゆえに非常に重要な実践である。保留す

るとは、今起こっていることについての自分の考えが、実際に起こっていることの正確な記述ではない可能性があることを認めることを意味する。自分の思考を取り出し、まるでヒモがあるかのように、自分の前に吊り下げる。それによって、自分も他者もその思考を見ることができ、望むならばそれを変えることもできるのだ。マニュエルが「抑圧による成長」のストーリーを話したとき、彼は「再分配による成長」という自分の党の綱領を保留した。それによって、後にその綱領を作り直すことができた。マラツィが中国解放軍のストーリーをグループに話し、他の参加者の質問に耳を傾けることを選んだとき、彼は自分の党の公式見解を保留していた。彼もまた、それによって後にそれを作り直すことができた。

保留することとは、変容型ファシリテーションの重要な実践であり、レオス社がワークショップで用いる演習の多くは、保留を実演し、可能にするために特別にデザインされたものだ。例えば、私たちはしばしば参加者に、付箋紙、フリップチャート、あるいはリアルまたはバーチャルのホワイトボードに自分たちのアイデアを書いてもらう。誰もがそれらを簡単に眺め、疑問を持ち、並べ替え、書き直し、そして場合によっては除いたり消したりすることができる。また、ブロック玩具を使って、現在の状況およびそれをどう変えられるかについての考えを表す物理的な模型を個人やグループで作ってもらう。これによって、書き出して正しい言葉を模索するよりももっと簡単かつ流動的に、自分の考え（およびそれらの間のつながり）を掲げ、修正することができる。[9] これらの手法により、参加者は自分の考えを保留できるようになり、主張と探求の間を流動的に動くことが可能になる。その結果、前進できるようになるのだ。

保留するためのもう一つの演習は、協働的なフィードバックを使うことである。ワークに取り組んでいる第1グループのメンバーは、第2グループにワークの結果の概要を説明する。第2グループはフィードバックと質問をする。第1グループは、このフィードバックを書き留める一方、一切そのフィードバックに答えてはいけない（その後、2つのグループは役割を入れ替える。その後、それぞれのグループで協議し、受け取ったフィードバックをどうするか決める）。どちらのグループも普段しないことをしなくてはいけない。第2グループは、（よく見られることだが）自分たちがいかに賢いかを示すためではなく、相手に役に立つことを意図してフィードバックをしなければならない。第1グループは、（これもよく見られることだが）自分の結果を再度説明したり弁護したりすることに時間を浪費せず、何が有用かを知るためにフィードバックを聴かなければならない。保留することを強調することによって、お互いへの有用性と進歩を促すのだ。

また、「遊び」を取り入れることで、アイデアに対する頑なさを解くことができる。私の同僚で元演劇監督のイアン・プリンスルーは、目的を持ったゲームやアイスブレークがいかに有用であるかを教えてくれた。貢献、つながり、平等を妨げ、創造的コラボレーションを制限してしまう上下関係や形式を、遊びは抑えてくれる。

参加者が安心して、以前に起きたことや、別の場所で起きていることに気を取られることなく、十分にリラックスしてその場で起きていることに注意を払うことができるような物理的・政治的・心理的空間を作るには、細心の注意が求められる。それゆえに、私たちは「今ここにいる」という基本ルールや規範を提案し、参加者に携帯電話の電源を切り、しまっておくようにお願いしている。ダウンローディングは、自分自身の思考、関心、習慣のバブルの中で生きることだ。それらを保留することは、そのバブルから抜け出して、自分の周囲で起こっていることを新鮮なままに見ることである。

▽視座を転換する

2つ目の実践は、討論（ディベート）から対話（ダイアログ）に移行するために、「視座を転換する」ことである。視座を転換するとは、外からではなく、相手の内側から聴くということだ。例えば、ステークホルダーとの対話インタビューで共感的に聴くことに苦労するとき、私は文字通り自身が相手の内側に入って話していることをイメージする。ガブリエルズがリーベンバーグとの出会いで、「彼は私の視点から世界を見ることができ、私は彼の視点から世界を見ることができた」と述べたのは、この視座の転換を指している。

相手の立場に立って状況を見るには、相手と何らかのつながりや関係を持つことが必要だ。それゆえに、私たちはインフォーマルで、水平型の、個人的なつながりを可能にする活動をとりわけ大切にしている。モン・フルーでは、一緒に食べたり飲んだり（近隣のワイナリーから素晴らしい南アフリカ産のワインが数ケース寄付された）、山歩きをしたりと、さまざまなアクティビティを行った。また、話し合っているテーマを何らか象徴するような個人の人生のストーリーを、参加者全員で共有するセッションもよく行っている。これをすると、すべての参加者が自分たちの状況を別の視点から見ることができ、同時に個人的なつながりをより深めることができる。

1986年、米国の人間性心理学者カール・ロジャーズが南アフリカを訪れ、一連の研修を行った。この研修に参加したファン・デル・メルヴェは、後にしばしばこのときのことについて言及していた。ロジャーズの共感的傾聴の技術は伝説的であり、彼の治療的なアプローチは「無条件の肯定的評価」をもって他者に接することを強調していた。[10] しかし、あるファシリテーター向けの公開の会合で、ロジャーズは金髪で青い目をした若い白人男性から人種についての質問を受けた。ロジャーズは、自分自身の内側の力学のために、その男性の話を聞くのが困難であることに気づき、その男性に何度も質問を繰り返してもらうことになったのだという。結局、ロジャーズは「あなたの言っていることを理解できません」と謝った。「私の中の何かが、あなたの声が聞こえないようにしているのでしょう」。どうやらロジャーズでさえも、視座の転換の能力には限界があったようだ。その講演の後半で、ロジャーズが発言したことを、ファン・デル・メルヴェはしばしば変容型ファシリテーションの基礎的な前提条件として強調している。「集団としての知恵は、その集団のすべてのリソースが利用可能である限り、次に何をすべきかを知っている。私はこれに揺るぎない信念を持っている」。グループは、公平な貢献とつながりを阻害しない限り、前に進む道を見いだすことができるのだ。

▽手放す

対話（ダイアログ）からプレゼンシングに移行するための3つ目の実践方法は、「手放す」ことだ。グループは、議論や対話を通じて、どちらかが相手の以前から考えていた視点や選択肢に賛同することで、進展することもある。しかし、より多くの場合、新しい視点や選択肢を一緒に作り上げる必要がある。私の経験では、場がプレゼンシングにシフトしたとき、私たちは皆、重要な何かを見ている。その何かは誰か一人からではなく、まるで私たちの輪の真ん中から湧き上がってくるかのように、私たちの間から生まれてくるものだ。これが起こるためには、少なくとも一時的に、自分自身の考えやストーリーを手放すことが必要だ。ガブリエルズの言っていた「既存のパラダイムが崩れ始めた」というのも、モン・フルーでの体験を通して私の自分を習慣的に守っていた殻が破られたのも、手放すことだった。ポピュリズムの経済政策が経済を破壊するという「イカロス」のシナリオは、アパルトヘイトからの黒人政権への移行のために行われた国を挙げての討論に、このプロジェクトが貢献した最も重要なものであったが、これは手放すことによって生み出されたものだ。特に、マニュエル、ムボウエニ、マラツィたちが、それまで頑なに守っていた所属する党の経済政策に、このシナリオを通して疑問を投げかけたことは大きかった。

オープンになることで新たな可能性が生まれる

ファシリテーターは、**オープンになる**ことを活用し、自らが模範となり、教える。それによって、主張と探求の間を循環し、何が起こっているかを理解し、次に何をすべきかについて根拠のある決定を下すことができるようにする。さらに、オープンになることは、他の4対の動きと他の4つのシフトのすべての基盤となる。

モン・フルーでオープンになることを経験したことで、私は変容型ファシリテーションの手法を発見し、この手法を採用し、発展させることが私の天職だと思うようになった。しかし、このとき経験したオープンになるということも、その後のブレイクスルーも、一度きりの経験で完璧にできるようになったわけではない。私は何度も何度もこの動きを実践し、教訓を学んだ。しばしば進むべき道を見つけては失い、それを磨き直さなければならなかった。

コロンビアでのワークショップでフランシスコ・デ・ルーと話をした後、彼から、任命されたばかりの南アフリカ真実和解委員会のメンバーたちに、レオス社の対話手法のセミナーを開くように依頼された。彼らはそれぞれ、国家の癒やしという大きな使命を果たすために何をすべきかについて、さまざまな熱い思いを抱いていた。デ・ルーは、「4つの話し方・聞き方のモデル」を提示してほしいことを強く希望したので、この4つのモードを順番に試してみるという短い演習を行った。この演習で何か変化があったかどうかを参加者に尋ねると、ある参加者はシンプルで実用的な答えを返してくれた。「自分が思っていた以上に選択肢があることを発見した」と。セミナーの最後に、デ・ルーはグループの成果を総括した。「私たちの状況は、まるでよくこねられた粘土のように、より柔軟なものになったと見受けます」

変容型ファシリテーションでは、ファシリテーターは自分の話し方と聞き方を**オープンにする**ことで、参加者の話し方と聞き方がオープンになるように促す。この変容型ファシリテーションの基本的な実践によって、誰もが**主張する**ことと**探求する**ことの間を流動的に行き来し、それによって何が起きているのか、何をすべきなのかについての理解を深め続けることができるのだ。コラボレーションの展開の中で、ファシリテーターと参加者は、この動きと内面のシフトを何度も何度も繰り返していく必要がある。

第7章 成功をどのように定義するか？——「結論を出す」ことと「先に進む」こと

変容型ファシリテーションにおいて、グループが繰り返し取り組むべき第2の問いは、「状況を変容させる上で成功をどのように定義するか」である。垂直型ファシリテーションでは、参加者は、**結論を出す**こと、つまり、取引、盟約、合意をすることを成功と定義する。彼らは、「合意が必要である」と言う。ファシリテーターは、そのような合意を可能にすることに焦点を当てる。垂直型アプローチのプラス面は、進むべき明確なゴールラインを設定することが可能であることだ。垂直型アプローチを過度に強調しすぎて、どのような合意が可能で有用であるかについて現実的に受け入れる余地がない場合のマイナス面は、成功の「窓」の定義が狭すぎる可能性があることだ。つまり、合意できることが、コラボレーションで現実的に達成できることを上回っている（参加者が合意する意思や能力がない場合）かもしれないし、あるいは反対に下回っている(参加者が他の結果を得るために合意を超えていきたい場合)かもしれないのである。

水平型ファシリテーションでは、参加者は、成功とは**先に進む**ことだと定義する。参加者は、「私たち一人ひとりが、一緒であれ、別々であれ、前進していればよいのだ」と言う。ファシリテーターは、そのような動きを可能にすることに焦点を当てる。水平型アプローチのプラス面は、たとえそれが部分的なものであったり、混乱をきたすようなものであったり、参加者の全員ができるものでなかったりしても、現実的な次のステップを踏むことに焦点が当たることだ。しかし、明確なゴールのないこのアプローチを過度に重視する場合のマイナス面は、結果よりも活動を重視することである。これによって、最終的に生み出す結果が満足のいかない分散した、実体のないものとなる可能性があるのだ。

前章で述べたように、変容型ファシリテーションは、2つの極の間を循環することで、両者の最も優れた面を得て、最悪の事態を回避する。ここでファシリテーターは、参加者が暫定的な結論に達することと、その暫定的な結論に基づいて先に進み続けることの間を行き来するのを助ける。

この2つの外側の動きを循環するために、ファシリテーターに求められる内面のシフト、つまり具体的な注意の払い方は、タイミングを**見極める**ことである。つまり、時間という次元を思慮深く扱うことだ──いつ速度を落とし、いつ速度を上げるか、いつ合意し、いつ合意しないことに合意するか、いつ作業を未完成のままにして流動性を保ち、いつ結晶化させた固まりを収穫するか、そして究極的にはいつコラボレーションに結論を出し終結させるかに、注意を払うのである。

ファシリテーターが瞬間瞬間に、何度も何度も為さねばならない基本的な選択の2つ目は「結論を出すことに集中するか、先に進むことに集中するか」である。

グループが合意しないことを選択するとき

2004年6月、オランダのベルゲンという町で、「サステナブル・フード・ラボ[1]」という2年間のプロジェクトの最初のワークショップが開催された。このプロジェクトの目的は、メインストリームの食料システムをより持続可能なものにすることであった。このワークショップには、米州と欧州各地から、地域の農業者団体、グローバル食品企業、小売業者、銀行、慈善財団、政府機関、環境・開発NGOのリーダーたちが集まった。土壌の損失、水質汚染、生物多様性の減少、不安定なサプライチェーン、手の届きにくい価格、消費者の不満、脆弱な地域経済、農民や農業従事者の生活と健康など、さまざまな観点から、メインストリームの食料システムが持続可能でなくなった、または近い将来なり得ることを懸念している人々が、集まったのだ。これらの問題のうち、どれが最も重要で、何をすべきなのかについては、長年にわたる深い意見の相違があった。例えば、小規模農家を支援することが重要なのか、それとも工業的農業を促進することが重要なのか、といった点でも意見が分かれていた。

ワークショップは順調に進んだ。参加者は、お互いの違いを超えて出会い、自分たちの状況を多角的に見ることができたことを喜んだ。私たちは、パネル発表、グループ全体での対話、分科会、そして近隣の興味深い農場、食品工場、店舗へのフィールドトリップを企画した。彼らは、自分たちが気にかけている問題の絡み合う状況に対処する方法を一緒に発見し、実行に移すことに熱中していた。

最終日、私がファシリテーターを務めた全体会議で、ある参加者が「この先に進む前に、グループとして**サステナブル**の定義に合意する必要がある」と発言した。この提案は私には論理的に聞こえた。何をもって前進とするかということに合意しない限り、どのように前進するかということに賛同することはできないだろう。しかし、プロセスの初期段階で、このような複雑で重要な問題について合意するには、グループの共有理解と信頼が不十分であり、合意しようとすると、せっかく高まってきた勢いが途切れてしまうのではないかとも感じた。

参加者たちは、その定義について合意をとらないことを決め、私たちはワークショップを続けた。この曖昧さにもかかわらず、あるいは曖昧さゆえに、彼らは共同作業を続け、15年以上もそれを続けることができた。彼らはこのプロセスが、発案者のハル・ハミルトンと私が当初想定していた2年間よりもはるかに長い期間、価値を持つことを知ったのである。この間、彼らは、水の供給や温室効果ガス排出の管理、商品サプライチェーンの環境・社会的パフォーマンスの向上、食品廃棄物の削減、小規模農家の収入増加など、メインストリームの食料システムをより持続可能にすることの実現に重要な貢献をしてきた。ある種の基本的な事柄が正確に合意されていなくても、多くの有益な進展を遂げることが可能であることが判明したのである。

フード・ラボの参加者とファシリテーターは、結論を出すことと先に進むことを循環することに成功してきた。彼らは現実的で、現場で結果を出すことにコミットしている人物たちである。また、彼らの農業との結びつきによって、この循環的で季節的なリズムをよく表す比喩が生まれた。新しいものを育てるには辛抱強く育てることが必要であること、成長は可能（特に障害を取り除くことによって）ではあるが、強制することはできないこと、成長を可能にする方法はしばしば実地での試行錯誤から生まれること、それでも成長しない（死んでしまう）ものは堆肥化して次の試行のための栄養とすることができること、などである。ハミルトンによると、フード・ラボの取り組みの目標に合意することに関する緊張は、ずっと続いているそうだ。測定可能な目標を定義することで明晰さが生じ、それによって、取り組みはスポンサーに承認され、管理されることが可能になる。しかし一方で、測定可能な目標を定めることは成果を、より小さな、より狭い範囲にとどめてしまう制約をしばしばもたらすのだ。

私は、マネジャーとしての自分の役割においても、このような創造的な緊張感を実感している。レオス・パートナーズは、世界各地にある法的に独立した複数の組織が継続的に協力することで運営されている、グローバルな社会的企業だ。私たちは、それぞれの組織が認識する必須条件に従って（時には完全に合致《アライメント》しないことがあっても）別々に行動することと、一致させるために合意する（時には複雑な妥協になる）ことの間を、常に行ったり来たりしながら共に前に進んでいる。時には不一致があっても進み続けることを選択し、時には不一致を解決するために立ち止まることもある。結論を出すことと先に進むことの間を複雑に循環するには、優れた判断力が必要なのだ。

グループが合意することを選択するとき

時には、フード・ラボの事例のように、グループは合意することよりも先に進むことが重要だと考えることがある。また、その逆で、合意が必要な場合もある。私と同僚は、米国サウスカロライナ州の市民リーダーたちと、慢性的に効果に乏しく不公平な初等・中等教育システムの変革に、4カ月にわたり取り組んだことがある。その結論を公開の場で発表する直前に、数百年にわたる苦痛と対立が突然浮かびあがってきた。発表しようとしていた文書の中のある言葉について、意見の相違がでてきたのだ。その言葉は、チーム内、そして彼らが代表となって変えようとしていたシステムの中にある、根深い分裂を露呈させるものであった。

メンバーの一人である保守的な白人実業家は、発表に「人種差別」という言葉を含めるのは、歴史的な不正義を現在の白人の責任に押しつける不当な行為だと反対を唱えた。もう一人のメンバーである黒人女性の学校管理者は、自身が目の当たりにし、苦しみ、今も進行中の構造的な白人特権と黒人差別を彼が認めようとしないことに憤慨した。室内の緊張感は高まった。しかし、チームは、この点に曖昧さを残さない必要があると考え、この言葉を含めることに合意した。この発表は、この学校システムの変容に極めて重要な役割を果たした。

進展を図るためには、しばしば、グループ内で合意したり、結論を出したりすることが必要となる。多くの可能な解決策の中から、一つまたはいくつかの解決策を選択することは、淘汰や切除を意味する。ファシリテーターは、早すぎる選択やグループの分裂を避けるために、グループ全体または委員会による審議を何度も繰り返し、アンケートや投票を行うなどして、慎重にこのプロセスをガイドしなくてはならない。

グループは、「合意する」と「合意しない」の間を循環して進むことができる

私は、コロンビアで平和構築を目指すいくつかのグループと仕事をする中で、数十年にわたり、結論を出すことと先に進むことの間のこの緊張と循環を観察してきた。冒頭で紹介した2017年のワークショップからずっと前へと遡る1995年、私は実業家のマヌエル・ホセ・カルバハルと政治家のファアン・マヌエル・サントスに招かれ、コロンビアで同様のプロ

ジェクトを組織することに関心を持つボゴタのグループに、モン・フルーでの経験について話した。当時、国内での武力紛争はピークに達しており、その場にいた人々は、さまざまな政党、軍、実業家、学者、左翼・右翼の反乱軍や軍閥など、こういったセクターを越えた幅広いリーダーを含んでいた。コロンビア革命軍（FARC）の幹部たちも、郊外の山中に潜伏しているところから無線で会議に参加した。発表が終わると、そのゲリラから想定もしなかった質問を受けた。ワークショップに参加するには、FARCは停戦に応じなければいけないのか、と。私は考え、「聞き、話す意志があることだけが参加条件だ」と答えた。彼は納得してくれた。

1996年、デスティノ・コロンビア・プロジェクトが始動した。非合法ゲリラ組織のリーダー4人が招かれ、政府はワークショップへの安全な通行を保証すると申し出たが、ゲリラのリーダーたちは罠を恐れて、スピーカーホンを通じて9日間のワークショップに参加した（3人は刑務所から、1人は国外の某所から）。これは多様な人たちの集まるグループとの複雑な共同作業を引き受けた初期のうまくいった例である。彼らの関与は、このプロジェクトと、プロジェクトを経て作成された報告書に貢献した。報告書では紛争に対処するためのさまざまな選択肢が示され、それらがのちの解決につながった。[2] もしプロジェクトが意図する成果である「紛争解決」の重要な側面である「停戦」について事前に合意することを要求していたら、プロジェクトは始動すらできなかっただろう。つまり、フード・ラボと同様に、ある時点で合意しないことが、後に合意することを可能にしたのである。

それから20年後の2016年、コロンビアの大統領となったファン・マヌエル・サントスは、ついにFARCとの一連の和平協定締結に成功し、その年のノーベル平和賞を授与された。受賞が発表された日、彼は1995年の初会合が「コロンビアの平和の追求において最も意義深い出来事の一つ」であったと言及した。[3]

私は、サントスが私たちの取り組みを認めてくれたことを嬉しく思いつつも、なぜ、このような長い年月を経て、そのプロジェクトに言及したのか、理解できなかった。この数十年間にわたり、数十回にわたる地域での調停、国土安定のためにサントスが国防相時代に指揮した大規模な軍事作戦、政府とFARCの長年にわたる交渉など、紛争解決のために多くのより大規模な取り組みが行われてきたのだ。

数カ月後、私はサントスへの公開インタビューのためにボゴタを訪れ、なぜ、「デスティノ・コロンビア」に言及したのか彼に尋ねた。サントスは「私がよくこのプロジェクトのことを話題にするのは、私の受けた教育とは対照的に、賛同していない人たちや決して賛同できない人たちと一緒にコラボレーションできるということを学んだ場所だからです」と答えた。この答えは私にとって新しい発見であった。というのも、ファシリテーターはしばしば、参加者たちが会って話しさえすれば、実際に合意できることを見いだすだろうと想定するからだ。しかしサントスが言及したのは、もっと困難で、よく見られるシナリオだ。つまり、互いに賛同しないが、それでも一緒に仕事を進める方法を見つける必要がある参加者たちのシナリオだ。

サントスの見解について私が誤解していないことを確認するために、私の同僚であるコロンビア人のホアキン・モレノに、彼の見解を尋ねた。「サントスを裏切り者と見ている人は多いのです」と彼は言う。「コロンビアには、『意見が相違することに合意する』という文化がありません。もし誰かが、特に公の場で、意見の相違を示したならば、私はその人を潰さなければなりません」。これは多くの国や組織の文化にあてはまる。そこでは、合意は「あなたが私の意見に賛同すること」、コラボレーションは「私たちは私のやり方で行動すること」と定義されているのだ。

サントスは、重要なコラボレーションには、合意することだけでなく合意しないことしばしば必要になるという、多くの政治家たちは理解しているものの一般の人々には理解されない点を指摘したのである。297ページに及ぶ詳細な和平協定に調印して以来、コロンビアで起こった出来事は、別の観点からもこの点を強調している。たとえこの協定が国内外問わず多くの人々に祝福されたとしても、それは紛争の一つの局面(政府とFARCの戦争)を終わらせたが、別の局面(他の物理的・構造的な暴力)の始まりでもあった。この和平は、せいぜい平和への道筋の中間的な成果に過ぎなかった。この紛争は、すべての複雑な難題と同様に、シンプルに解決できるような問題ではなかった。問題が複雑に絡み合う状況であり、そこでは共に取り組み、共に乗り越えていくしかないのである。

結婚研究家のジョン・ゴットマンも、夫婦の不一致について同様の指摘をしている。「夫婦間の衝突の69%は恒久的なものであり、それはつまり、何らかの形で、永遠にあなたの人生の一部となることを意味する……。[幸せな夫婦は、]このような問題を好まないかもしれないが、彼らは問題に耐え、問題を悪化させる状況を回避し、問題と折り合いをつける戦略や習慣を身につけることができる」[4]。ゴットマンが言いたいのは、幸せな夫婦は、合意すべきことと単に耐えていくことを区別する能力を持ち合わせているということである。

*

サントスの「デスティノ・コロンビア」プロジェクトへの熱意は、別の長年にわたる問題の絡み合う状況に取り組む機会を私にもたらした。2012年、彼は南北アメリカの31カ国の首脳を説得し、「米州の薬物問題」に対処するための新しい選択肢を模索する、半球規模のマルチステークホルダー・プロジェクトの招集を依頼した。このプロジェクトは米州機構(OAS)によって組織され、私はファシリテーション・チームを率いた[5]。当初、私は、安全保障、医療、社会、経済、政治、国際的側面が織りなす複雑な状況を、単一の問題とする枠組みで捉えることに懸念を感じていた。しかし、薬物政策の歴史について学ぶにつれ、一つの問題の定義(特定の中毒性物質の「生産」、「輸送」、「消費」)、一種類の解決策(「禁止」、「阻止」、「犯罪化」)、一連の恒久的な合意(1961、1971、1988年の3つの国際麻薬管理条約)への垂直型の固執が、この状況に取り組む50年の努力の失敗の中心であったと理解するに至った。

このプロジェクトは注目度が高く、エキサイティングなものだった。私たちは、OAS、レオス社、コロンビア・センター・フォー・リーダーシップ・アンド・マネジメントのスタッフからなるファシリテーション・チームを立ち上げた。米州のすべての国と、政治、防犯、ビジネス、健康、教育、先住民文化、国際機関、司法制度、市民社会など、薬物政策に関わるセクターから46人のリーダーを集めた。ワークショップ自体はパナマでの3日間のワークショップ2回の開催だったが、私は丸1年間毎日このプロジェクトに取り組み、準備やフォローアップのワークを組織し、参加政府や参加者間の交渉、文書の起草、チームの足並みを揃えることに奔走した。問題の絡み合う状況に対処するプロセスのファシリテーションは、単にワークショップを運営するだけでは済まされない。

ファシリテーション・チームが一緒に仕事をするようになると、お互いのファシリテーションに対する考え方の違いが浮き彫りになってきた。政治家や外交官で構成される政府間組織OASのファシリテーション文化はフォーマルで垂直型の傾向があり、レオス社の文化はインフォーマルで水平型の傾向があった。私たちは、日々行ったり来たりしながら、時には緊張し、時には楽しみながら、生産的な変容型ファシリテーションを実践していった。

このワークショップは、複雑で重要なテーマを、大人数で3日間かけて、慣れない手法を用いて行うものであったゆえに、複雑で白熱したものになった。あるセッションで、私は完全に注意を行き届かせ、流れに乗り、そしていつ結論を出し、いつ先に進むかを首尾よく見極めることができた。セッション後に同僚の一人が、優れたサッカー選手のように「フィールドを支配していた」と賞賛してくれた。状況を素早く流動的に行き来し、その場その場の状況に対応するこのイメージは、変容型ファシリテーションの実践をよく表していると言えるだろう。

2回目のワークショップで、一つの重要な、そして珍しいことが起こった。参加者たちは、「問題」の定義の仕方を1つに絞るのではなく、3つの異なる方法（「安全保障の調整」、「公衆衛生」、「地域社会の結束」）にまとめることで、それぞれが異なる種類の解決策の意味合いを示すという革新的な結論に収束していった。すると、ある参加者が、問題を不公正な国際条約という枠組みで定義し、メキシコなどの麻薬取引国が、アメリカなどの麻薬消費国からの需要のために苦しんでいることが問題であり、条約の破棄が解決策となりうるという4つ目の急進的な選択肢を提示したのだ。

通常、グループは一度結論に近い状態（「合意が必要である」）になると、新しいアイデアを取り入れることに消極的になるものだ。私は、この新しいアイデアは価値があるかもしれないと思い、このアイデアを提案した参加者に、他の数名とさらに発展させるよう提案した。彼はそれを実行し、グループ全体に持ち帰って3回にわたって主張した。それを受けて、グループは、条約に疑問を呈することを望まない政府（特に米国政府）の猛反対を抑えて、最終報告書に盛り込むことに合意したのである。

このプロジェクトの報告書は、半球および世界の政府間で、それまで閉ざされていた薬物政策に関する議論を呼び起こした。各国政府がそれぞれの状況に対応するためにさまざまな政策を試すことにつながった(「それぞれが進み続ける必要がある」[6])。ワークショップ内においてもより大きな政府間プロセスにおいても、参加者は過去の合意を再検討することが可能になって初めて、新しい選択肢を議論できるようになったのである。

*

合意に達することがファシリテーションの1つの極だとしたら、もう1つの極は何だろうか? それは、関係性を保ちながら前に進む方法を見つけることだ。フード・ラボの最初のワークショップでは、コラボレーションの初期段階において、結論を出すことよりも、グループを形成し、協働を始めることがより重要であることを見極めた。薬物政策プロジェクトの2回目のワークショップでは、参加者たちが培った生産的に取り組む関係性があったからこそ、後から示された発散的な追加案を取り入れ、結論を修正することが可能になったのだ。この2つの例が示すように、社会変革は通常、単に新しいアイデアを考えることではなく、新しいアイデアや古いアイデアを実現するための新しい関係、つながり、連携を形成することによってもたらされるのである。

私は、2017年9月19日に、メキシコでこの原則が実行されているのを目の当たりにした。メキシコシティとその周辺を襲ったマグニチュード7・1の地震で、約400人が死亡、6000人が負傷した時だった。私はメキシコ現地の人々で構成される2つの異なるチームと、「防犯対策の欠落、違法性、不平等」に関連する問題に取り組んでいた（このプロジェクトについては、次章で詳しく説明する）。同僚と私は、一方のチームとは2年間、もう一方のチームとはわずか2カ月しか一緒に仕事をしていなかった。それぞれのチームは独自のWhatsApp〔訳注：チャット用アプリ〕のチャンネルを持っており、地震が発生すると、すぐに何が起きたのか、何をすべきなのかについてのチャットのやりとりが始まった。地震の当日とその後の数日間、両方のチャンネルをリアルタイムで読んでみて、2つのグループ間の際立つ点の違いに驚いた。最近一緒に仕事をするようになったチームで際立っていたのは「非難」である。例えば、どの政治家や政府部門が非効率的な対応をしたのか、誰が不正に基準以下の建築許可を出したのか、などだ。長く続いているチームでは、「コラボレーション」が際立っていた。例えば、プエブラに物資を届ける手配をしている人が、到着後、運転手が誰に連絡すればよいかを尋ねていた。こちらのチームのメンバーはお互いに賛同はしておらず、彼らのイデオロギーの隔たりは数年を経ても最初の頃と同じくらいかけ離れていた。しかし、彼らはお互いを知り、信頼するようになり、だからこそ、重要なことを一緒に成し遂げることができたのである。人間関係が進歩を可能にしたのだ。

見極めることが、結論を出すことと先に進むことの循環を可能にする

共同創造プロセスを説明し、ファシリテートするのに有効なシンプルなモデルがある。参加者のグループが3つの段階を経ることで、何らかの新しいもの――新しい理解、関係、コミットメント、またはイニシアチブ――を創造することができると仮定するものだ。最初の段階は**「拡散」**で、各人が自分の経験やアイデア、視点を提供する。2つ目の段階は**「創発」**である。異なる視点がつながり、調合され、一連の共有された多様な視点、時として一つの共通の視点が明らかになる。3つ目の段階は、**「収束」**だ。結論を導き出し、合意を築くことである。

このモデルは、2つの時間軸で有効である。ワークショップにおける演習セッションのような単一の創造的な活動の時間軸においては、第2（創発）段階で新しいものを創造することが重要である。第1（拡散）段階から第3（収束）段階へ直接移行してはならないのだ。つまり、（多くの方法論がそうしているように）一連の選択肢を出した後、即座にそれらの選択肢の中から選ぶ段階に移行してはならない。この第2（創発）段階は常に不明瞭であり、しばしば不快なものである。したがって、ファシリテーターと参加者にとって重要なチャレンジの一つは、新しい何かが現れるまで、この曖昧さの中に長くとどまる忍耐力を持つことである。垂直型のアプローチの進め方のように、参加者が各ステップで合意してから次のステップに進むことは、必要でもなければ生産的でもないことが多い。参加者たちの意見の合わなかった事柄が、次の

ステップではもはや重要ではないと気づくことはしばしばあるのだ。それゆえに、参加者たちが何について合意が必要であり、何について合意が不必要かについて見極めるのが重要なのである。

詩人ジョン・キーツは、結論を出すときだと見極めるまで結論のない状態に辛抱強くとどまるこの重要な能力を「**ネガティブ・ケイパビリティ**」と呼び、「苛立って事実や理由を追い求めることなく、不確実性、謎、疑念の中にいることができる」[7]ことと定義している。この能力は、結論を出すことと先に進むことの間で循環できるようになるために極めて重要である。例えば、フード・ラボの最初のワークショップで、サステナビリティの共通定義にすぐに収束しようとしていたら、参加者間の相違がより強固なものとなってしまっただろう。参加者は共に行動し、学ぶことができるようになるまで、その知らない状態の中に十分とどまったのだ。そして、その後の数カ月、数年にわたって、実りある形でその実践を続けた。

また、この拡散・創発・収束の3段階モデルは、より長期にわたるプロセスのファシリテーションにおいても有効である。一つの活動、会議内の一連の活動、複数の会議にまたがる作業の橋渡しなど、異なる時間軸でこれらの段階を繰り返すのだ。そのため、コラボレーションのプロセスはしばしば、ある活動の終わりと別の活動の始まりを示す、多くの収束と合意によって節目を築いていく。例えば、薬物政策プロジェクトでは、ステークホルダーのチームが拡散し、創発し、最終的に最終報告書に収束した。この報告書は、南北アメリカの薬物政策立案者たちのより大きなコミュニティにおける、拡散と創発の新しいサイクルを切り開いた。

変容型ファシリテーションでは、拡散・創発・収束と、結論を出すこと、先に進むことのサイクルを繰り返しながら、ファシリテーターと参加者が共に前に進んでいく。そのためには、**見極める**ことが必要なのである。

第8章 現在地から目的地までどのような道筋をとるか？
――「予め道筋を描く」ことと「発見する」こと

変容型ファシリテーションは、グループが問題の絡み合う状況を変容させるための旅路へと踏み出すことを支援する。彼らが取り組むべき第3の基本的な問いは、次の通りだ。私たちは、今いる場所（第1の基本的な問いの主題）から、行きたい場所（第2の基本的な問いの主題）へ、どのような道筋をとるのだろうか？

垂直型ファシリテーションでは、参加者は、自分たちの問題の絡み合う状況を進展させるためのステップについて、「何をすべきか私たちは知っている」と言う。ファシリテーターは、参加者がこれらのステップを踏むために採用するプロセスについて、同じことを言う。この**予め道筋を描く**アプローチのプラス面は、進むべき道が明確になることだ。しかし、この方法を強調しすぎて、途中で進む道を変更することに不寛容になることのマイナス面は、グループを行き止まりや崖っぷちに導く可能性があることだ。つまり、選ばれた道筋は役に立たないかもしれないのに、グループがとにかく計画通りに進み続けようと固執するのだ。

水平型のファシリテーションでは、参加者とファシリテーターは、将来の一連の集団行動を予測し、コミットすることがいかに困難であるかを知っているため、「進みながらやり方を見つけるだろう」と言う。このように途中で進む道を**発見する**アプローチのプラス面は、協働プロセスはしばしば制御不能で予測不可能であるため、民主的かつ段階的に発展させる必要があることを認識している点である。このアプローチを過度に重視し、事前に道筋を計画しないことのマイナス面は、無秩序で発散的な放浪を生み出すことである。

ここでも、変容型ファシリテーションは、2つの極の間を循環することで、両者の最も優れた面を得て、最悪の事態を回避する。ファシリテーターは、参加者とともに、「自分たちがたどろうとする道筋を予め描く」ことと、「進みながら次の進路をどのように修正する必要があるかを発見する」ことの間を行ったり来たりしながら、取り組みを進めていくのである。この2つの外側の動きを循環させるために、ファシリテーターに求められる内面のシフト――特別な注意の払い方――は、変化への**適応**である。ここで適応とは、予め道筋を計画するが、行動してみて、状況のフィードバックを得て、道筋を調整することを意味する〔訳注:52ページでは、状況を変えることができないことを受け入れ、しばし我慢する意味合いで「適応」という言葉が使われていました。この章では、未知のことを発見し、ルートや計画を修正、調整する意味で「適応」という言葉を使っています」。

ファシリテーターが瞬間瞬間に、何度も何度も為さねばならない基本的な選択の３つ目は、「予め道筋を描くことに集中するか、それとも発見することに集中するか」である。

進歩には失敗がつきもの

２０１５年11月、「ポッシブル・メキシコ」プロジェクトの最初のワークショップで、私たちファシリテーション・チームは激しい議論を交わした。２０１４年、メキシコは一連の汚職スキャンダルと虐殺に揺さぶられ、何十万人もの人々が抗議のために街頭に繰り出した。献身的な市民が集まり、「違法性（illegality)」、「防犯の欠如（insecurity）」、「不公平（inequity)」の「３つのI」の結びつきに対処する方法を見いだすため、マルチステークホルダー型の野心的なプロセスを組織したのだ。そして、このプロセスを促進するために、プロジェクト・チームはレオス社と契約した。

最初のワークショップには、政治家、人権活動家、陸軍将校、企業経営者、宗教指導者、労働組合員、知識人、ジャーナリストなど、33人の国の指導者たちが集まった。ファシリテーション・チームは、主催者側のメキシコ人12人とレオス社のスタッフ５人で構成されていた。レオス・チームはワークショップのための複雑な進行プログラムを計画した。全体対話と分科会を画期的な形で組み合わせた会話、小グループに分かれての近隣のコミュニティの訪問、「3つのI」の経験について話を聞くラーニング・ジャーニーを複数並行して行った。

ワークショップに参加した誰もが、この複雑で論議をよぶ協働にプレッシャーを感じていた。2日目には、慣れないプロセスに戸惑いや苛立ちを覚える参加者や、ワークショップやプロジェクトが失敗するのではないかと心配になる主催者も出てきた。ファシリテーション・チームはこれについて話し合い、夕食時には5人(メキシコ側から3人、レオス側から2人)のメンバーで委員会を開いて、寄せられた苦情に対処するために翌日の進行プログラムを練り直した。

私は、この委員会が事態を把握し、鋭く舵を切ることができたことを嬉しく思った。しかし、私がファシリテーション・チーム全体に新しい進行プログラムを提示すると、主催者の一人が憤慨した。「あなたは自分が何をやっているのかわかっていない! ただ即興でやっているだけだ!」

そのため、ファシリテーション・チームは、ワークショップ3日目の再開前に1時間ほど会合を開き、さらに1週間ほどメールで議論を続けた。私は、専門家であるレオス社なら見事なプロセス設計をこなし、ファシリテートできるはずだという主催者の期待に応える一方で(「何をすべきか私たちは知っている」)、どんなにうまく計画しても、予想外の力学が生じて計画を調整しなければならない(「私たちは進みながら方法を見つける」)ということを認識することの間で、気持ちが揺らいでいた。この緊張は、この国のより大きな緊張を映し出すものだった。

優秀な指導者たちが良い方向に導いてくれるという単純な希望と、実際に共に前に進むことに伴う厄介な不確実性、複雑性、葛藤との間の緊張である。

ボクサーのマイク・タイソンは、こう言った。「誰もがプランを持っている。口にパンチを食らうまではね。（中略）あなたが優秀で、最初はプラン通り進んでいたのに、どこかで何かが起こってその結果、怒りを覚えるような、悪い方に転じたとしよう。見ものなのはそこからどう対処できるかだ。たいていの奴はそれにうまく対処できないもんだ」[1]。メキシコで、私は自分の計画がうまくいかなかったことについて、うまく対処するのに骨を折っていた。

やがて、ファシリテーション・チーム内の議論は収束し、プロジェクトを継続することに合意した。私たちはその後5年以上にわたって、法改正、地域和平の達成、家事労働者の権利、地震対策、公教育など、「3つのI」のさまざまな側面について、さまざまな構成で、多くの途絶とブレイクスルーを繰り返しながら、協働を続けてきた。私たちは、予め道筋を描くことと発見することの間の基本的な緊張に対処し続けなければならなかった。私たちはしばしば、スペインの詩人アントニオ・マチャードの有名なフレーズに立ち戻った。「旅びとよ、道はない。歩くことで道はできる」[2]

＊

そこから派生したプロジェクトの一つが「教育ラボ」である。メキシコは、多様な人口と発展途上の経済に対応するため、教育システムの改善を必要としている。高校卒業率やテストの点数は低く、教育当局、教員組合、市民社会組織の間の対立が激しい。歴代政権は意欲的な改革を試みては、新しい政権になるとその改革が反故にされるということを繰り返してきた。このプロジェクトでは、連邦・州教育大臣をはじめとする政府関係者、さまざまな政党の政治家、教員組合や父母会のリーダー、校長、教員、企業家、学者、活動家など、国内の教育システム全体から50人のリーダーたちが集まり、数年にわたるプロセスを通じて一連のシステム改革を特定し、実施することを目指した。

プロセスの核となるのは、9つのイニシアチブ・チームである。それぞれが5～10名の参加者で構成され、システムの異なるレバレッジ・ポイントに取り組んでいる。レバレッジ・ポイントとは、小さな投入が大きな効果を生みだす可能性がある場所である。1つ目の幼児教育プログラムの拡大を目指すチームには、経験豊富な研究者兼運動家と、公衆衛生プログラムでの経験がある政治家、議会で法制化を推進した別の政治家、チームが戦略を試行した州の政府とつながりのあるテクノロジー専門家が1名ずつ参加していた。第2のチームは、テクノロジーを駆使した新しい学習方法を導入し、周縁化されたコミュニティへのアプローチに取り組んでいた。このチームには、幼少期に疎外された経験を持つ先住民族のリーダー、このリーダーの話を聞いて何が必要かを理解した教育起業家、人使いの荒い教育省のプロジェクトマネジャー、学校長、慈善家が1名ずつ参加していた。3つ目のチームは、学校への資源配分の方法を変えるために、教育省の高官2名、下院議員、教育政策の専門家が1名ずつ参加し、予算配分のルールをいつ、どこで変えるべきかを的確に見極めることができた。

これらのチームに加え、他の6つのチームも、これまで手を組むことがなかった多様で傑出した人材が集まって、力を発揮した。「アベンジャーズ」ばりのスーパーヒーローのチームだ。チームは、補完的で強力な能力を持つ人々で構成されており、これまで話をしたことがなかった人々も含まれている。協働さえすれば、野心的な目標を達成できる人々である。[3]

このようなコラボレーションでは、参加者は難しい選択を迫られることになる。これは自分が参加してもいい闘いなのか、参加することで自分の慣れ親しんだ仕事のやり方から脱却していいのか？　自分が賛同しない、好きではない、信頼しない人たちを含む、さまざまな他者とチームを組むことをいとわないか？　ミッション達成のためなら、自分にとって本当に大切なものを妥協しても、裏切り者だと思われても構わないか？　コラボレーションには、チームに参加するかどうかという単一の選択だけでなく、数多くの選択が求められる。

教育ラボのメンバーは皆、こうした問いに直面しながら、プロジェクトに参加し、コラボレーションを続けるかどうかを何度も何度も決断しなければならなかった。そして、そのような状況に陥ったとき、彼らは常に、「強制」「適応」「離脱」という3つの一方的な選択肢を手札に持っていた〔訳注：ここでの「適応」は、我慢して受け入れる方の意〕。各プロジェクト・チームのメンバーはそれぞれ異なるタイプの貢献をしており、集まれる時間、仕事のスタイル、リソースへのアクセス、行動の自由度も異なっていた。プロジェクト・チームのリーダーたちは、メンバーに対して正式な権限を持たず、チームをまとめ、前進させることに苦労していた。目標を達成する上で最も成功した4つのチームは、メンバーの多様な自発的エネルギーを活かし、舵取りをすることで、誰も単独では成しえなかったであろう大きな目標を達成することができたのだ。

予め道筋を描くことと発見することの間の緊張感は、どのイニシアチブ・チームにも訪れた。彼らは、自分たちが成し遂げたい改革の熱意あるビジョンと、それを達成するための計画を持ってスタートした（「何をすべきか私たちは知っている」）。しかし、前に進もうとするにつれ、チーム内外で予期せぬ困難に遭遇し、立ち止まり、状況を把握し、計画を修正し、再挑戦することが必要となった。イニシアチブ・チームが前に進むにつれて、彼らを支援するのが私たちファシリテーション・チームの仕事になった。

また、ファシリテーション・チームは、プロジェクト全体のレベルでも同様の問題に直面した。何をすべきかの計画が事前にあっても、何らかうまくいかないことがあり、計画を見直さなければならなかった。この計画の見直しによって、担当者の役割や予算が変更になることもあり、何度も何度も、大変な思いをすることもしばしばであった。また、このプロジェクトに参加し続けるかどうかの決断も、メンバー間で何度も繰り返された。

すべてのコラボレーションがこの問題に直面するのは、一人のステークホルダーが成果をコントロールすることができず、何がうまくいくかを事前に知ることができないからだ。物事はたいてい計画とは異なる形で展開するものだ。前もって物事を考えるという計画のプロセスは有益なものである。しかし、多くの場合、参加者たちもファシリテーターたちも、計画を変更することをいとわないことが必要となる。元米国大統領で元陸軍参謀総長のドワイト・アイゼンハワーは、「計画そのものに価値はない。計画し続けることに意味がある」と述べている。[4]適応は常に求められるのだ。

「予め道筋を描く」ことと「発見する」ことを循環する鍵は適応である

教育ラボの参加者には、2回目のワークショップで、「イルカの調教」という即興ゲームを通して、試行錯誤しながら前に進むために必要となる「実験」と「適応」の規律を体験してもらった。私たちは、彼らのうちの一人に「イルカ」役になることを志願してもらい、熟練したコミュニティ・オーガナイザーのカルロス・クルスがそれに応じた。彼には部屋から出てもらい、その間、他の人たちは「調教師」役となって、イルカに覚えてもらいたい一連の単純な動き、「椅子を手に取る、窓の下に移動させる、その椅子の上に座る」について合意した。イルカ役は部屋に戻り、自分が何をすべきかを発見しようとした。誰も話したりサインを送ったりすることは許されていなかったが、イルカが正しい動きに近づいたときに、調教師たちは拍手をすることが許されていた。

このゲームは、変容型ファシリテーションに不可欠な能力である「実験と方向転換のための能力」を際立たせる。このゲームでは、調教師たちの行動が重要だ。調教師が混乱する、あるいは矛盾するフィードバックを行えば、イルカは学ぶことができないからだ。規律正しく良心的な拍手をしてイルカを成功に導く調教師もいれば、不注意かつ軽薄な態度で、イルカを混乱に追い込む調教師も見てきた。

また、イルカの行動も重要だ。イルカ役にはストレスが多い。どうすれば成功するのかを必死に考えて、クルスは緊張して大汗をかいた。鍵となるのはイルカがさまざまなアクションを実験し続け、そして明確で強い肯定的な拍手を手掛かりにして、適応することである。失敗するイルカは、身動きが取れなくなるイルカだ。立ちすくんだり、ただ立ち止まって考えてしまったり、拍手をもらえないのに何度も同じ間違った行動をとってしまったりする。クルスは苦労を重ねながらもついには成功できた。

人間関係、ビジネス、政治、芸術など、あらゆる活動領域において、人は往々にして古いやり方にとらわれ、新しく進む道を見いだせないでいる。そのような状況を**突破**できるのは、何か違うことを試し、それがうまくいくことを発見するまで続ける場合だ。これは、サッカー選手が密集したフィールドでボールを蹴るとき、科学者が一連の仮説を明確にして検証するとき、そして起業家が市場にさまざまな提案をするときに行うことである。ドキュメンタリー映画『ミステリアス・ピカソ──天才の秘密』では、パブロ・ピカソがキャンバスに絵の具を塗り、一歩下がって眺め、前に描いた絵の上に繰り返し塗り重ね、自分が創造しようとしているものの的確な表現を探す姿が明らかになっている。[5]

試行錯誤を繰り返し、一歩下がってその結果を見て、また変えてみるということを何度も繰り返していくことが、進むべき道を発見するために必要な訓練である。本の執筆を通じて、私はこの規律を学んだ。執筆においては、たとえ何カ月もかけて、何を伝えたいかを考え、アウトラインをつくっていたとしても、実際に文章を書き出してプリントアウトし、それを読んで、草稿へのフィードバックを受けて初めて、何が理にかなっていて、何を書き直し、何を次に書くべきかを知ることができるのだ。私は悪い文章を１００回書き直すことによって初めて良い文章を書くことができる。

参加者たちとファシリテーターたちが創造的なコラボレーションを行うときには、個人としてだけでなくグループとして、ムクドリがざわめきを立てて飛ぶように、流動的に方向転換できるようになる必要がある。第１回ポッシブル・メキシコ・ワークショップの途中で、プロセスに関する少人数の委員会が開かれたことを私は嬉しく思った。というのも、その委員会で私たちがやっていることが十分に機能していないとわかったとき、どんな違うやり方をできるかを一緒に素早く流動的に見極めることができ、実際にその新しいやり方を実行し、功を奏したからだ。変容型ファシリテーションにおいて、このように敏感に反応する即興は、失敗ではなく、成功の兆しである。

実験には方向転換が必要である

ファシリテーターも参加者も、最初からうまくやることはできないし、常にうまくやり続ける必要もないが、起こったことから学び、次にはもっとうまくやる方法を見つけることは必要である。私のファシリテーション・チームでは、ワークショップの日の終わり、プロジェクトのフェーズ終了時、四半期の期末など、あらゆる意味での仕事の節目に、「プラスデルタ」ミーティング（デルタは変化を表す数学の記号）を行い、全員が自分、同僚、そしてチーム全体についての2つの問いに答える。「私／あなた／私たちが次も継続する必要があるうまくいったことは何か」、「私／あなた／私たちが次に改善する必要があることは何か」という2つの問いだ。

このプラスデルタ・ミーティングでの問いでは、ファシリテーション・チームが何を失敗したかに焦点を当てるべきではない。やり直しの機会はほとんどないからだ。どのように適応し、何を変える必要があるのかについて、先を見据える必要がある。ほとんどの場合、自己評価と他者評価は一致して、それほど議論する必要はないだろう。しかし、時には認識が異なることもあり、グループはそれを乗り越えて次に何をすべきかを決めなければならない。同じ過ちを繰り返さないようにしなければならないのだ。

複雑な課題に取り組むとき、ファシリテーターは新しいことを始めてみる、そして古いことを新しい方法でやってみる必要がある。危険な文脈で大きな実験をする前に、安全な文脈で小さな実験をする必要がある。ファシリテーターは、多くの練習を積んでこそ、即興性を高めることができるのだ。

第1回ポッシブル・メキシコ・ワークショップにおけるファシリテーション・チームのミーティングでは、私はうまくいっていると思っていたが、同僚の何人かはそうは思わなかった。同僚たちは座って参加者とお互いの話をよく聞き、次に何をすべきかを考えようと主張した。ファシリテーターは、自分自身の視点だけを頼るわけにはいかない。同僚やクライアント、その取り組んでいる状況に関わるすべての人にフィードバックを求めなければならない。気軽に、あるいはフォーマルに、口頭や文書で、具体的な質問と自由形式の質問を投げかける。そして、そのフィードバックをチーム全員で共有することで、次に何をすべきかを、個人として、また集団として、根拠を持って決定できるようにする必要がある。

カルロス・クルスは、ポッシブル・メキシコのチームが方向転換するためには、確固とした対話が必要であると明言した。「このグループでは、喧嘩や論争を恐れてはならないのです。私がここに来たのは友人を見つけるためではありません。友人なら身の回りにいます。そうではなく、同志を見いだすために来たのです。お互いに挑戦したり、挑戦されたりする覚悟を持ちましょう。そうすれば、私たちはより賢く、より強く、より効果的に、この重要で困難な仕事をこなせるようになります」。クルスが指摘したのは、多様な他者と協働するときに起こる典型的な弱点、つまり、このような状況下で進展するためには、対立を無視し、回避し、もみ消さなくてはならないと考えることだ。たとえそれが問題の絡み合う現状を維持することを意味したとしても、礼儀正しく、お互いの違いを覆い隠してしまうのである。パンドラの箱を開けてしまうと、自分たちが傷つき、コラボレーションが不可能になることを恐れているのだ。しかし、お互いの考え方や利益、ニーズの違いを覆い隠したところで、それが消えるわけではない。むしろ悪化して、後に大きな暴力として噴出することになる。

フィードバックの限界は、ほとんどの人がフィードバックから学ばないことだ。自分の地位やイメージ（あるいは自己イメージ）が、失敗することや、落伍者になるという脅威に怯え、否定的な評価を拒絶しようと努めるのだ。私は、たいてい批判的なフィードバックを苦痛だと感じるために、敬遠してしまいがちだ。しかし、ポッシブル・メキシコのミーティングでは、注意を払い、リラックスして、自分の習慣的な反応を認識し、行動を変えることができた。

教育ラボでチーム・メンバーが実行しようとしたシステム改革プロジェクトは、野心的なものであった。しかし、最大の難題は自分たちの中にあった。1年間の共同作業を終えて、ある文部省の高官はこう言った。「私は、自分自身が柔軟でオープンで、合意形成ができると信じてこのラボに参加しました。しかし、私は自分が思っているほどには、大したことはないと気づきました。私たちが進むためには、私自身が変わる必要があったのです」。一人ひとりが、注意を払い、フィードバックに耳を傾け、他の人たちと協力し、行動し、適応し、再び行動することを、何度も何度も繰り返さなければならなかったのである。

方向転換には流動性が必要である

1991年のモン・フルーでのワークショップで「抑圧による成長」のストーリーを語った南アフリカの政治家、トレヴァー・マニュエルは、同国で最も重要な政治・経済リーダーの一人となった。1994年にネルソン・マンデラが大統領に選出されると、マニュエルは通商産業大臣、財務大臣、国家計画委員会の委員長として20年間にわたり国家内閣の要職に就いた。1999年、彼はモン・フルーでの経験や、アパルトヘイトから民主化への大規模な移行を振り返り、「当時は非常に流動的でした」と語っている。「パラダイムも、前例も、何もありませんでした。私たちはそれを切り開く必要があったのです[6]」

マニュエルの言葉の選び方には、システムの変化を起こそうとする際に重要でありながら、あまり認識されていない側面が表れている。古代ギリシャの哲学者ヘラクレイトスは、**パンタ・レイ（panta rhei）**、すなわち「すべては流れる」と言った。状況を切り開くということは、辛抱強く、徐々に、繊細に手を動かしながら、目の前で現れつつある特別な現実とともに新しい何かを生み出すことを意味する。これは、状況を無理やり型にはめ込むこと、すなわち、起こるべきだと自分が考える、すでに形成されたアイデアをダウンローディングすることとは正反対だ。予め道筋を描くことと発見することの間を行ったり来たりすることを意味している。

前に進む方法を押しつけではなく、共に切り開くために最も必要なことは、心をオープンにし、リラックスして取り組むことである。硬直していると――予め道筋を描くことと発見することの間を流動的に動くのではなく、今起こっていることや起こりうることへの恐怖から緊張して、物事をコントロールしようと緊張してしがみつくと――前を切り開くことが阻まれてしまうのだ。

武術の師匠であるジョン・ミルトンが、「太極拳で拳を握るときは、手を強く握りしめてはいけない。鉛筆を通せるくらいに緩めなければならない」とかつて教えてくれた。私たちは自分がやっていることが間違っていると、他者や自分自身に対してさえも認めてしまえば、自分が傷つくだろうと恐れるゆえに、拳を強く握りしめて、うまくいっていないことをやり続ける。そのような恐怖の中で先に進むための鍵は、適応できるように十分にリラックスする勇気を呼び起こすことだ。

リラックスできるのは、握りしめている習慣的な思考、関係、行動のパターンを緩められる文脈にいるときだけだ。2003年、私はワシントンD・C・郊外の政府研修センターで、FBIの指導者チームを対象とした戦略ワークショップのファシリテーターを務めた。参加者たちは緊張していた。チェックインで今朝はどんな気持ちかと尋ねられると、ある参加者は「いつもの朝と同じ気持ちだ。ニューヨーク市でまたテロが起こるのではないかと怯えている」と答えた。しかし、しばらくすると、彼らは上着とネクタイを外してリラックスし始め、色紙とパイプ用ブラシで自分たちの考えるFBIのビジョンのモデルを作って楽しんだ。そこへ、FBI長官のロバート・ミューラーが笑顔も見せずに部屋に入ってきた。彼は、大統領が毎日行う諜報関係のブリーフィングに出席したため、遅れてきたのだ。その途端に再び、チームに防衛意識と警戒心が戻った。このチームの状況によって参加者はリラックスできなくなり、ワークショップでは大きな進展が得られなかった。変容型ファシリテーションには、流動的な循環が必要だが、それは極めて難しくもある。

＊

チームが新しい現実を切り開こうとするとき、ファシリテーターは、何が起こり、何がうまくいくかを学ぶために、オープンで遊び心のある実験をするよう奨励しなければならない。その際、最初からうまくいくことよりも、フィードバックに耳を傾け、調整し、再び挑戦することに重点を置く必要がある。このような創造的な実験のための重要な要件は、ファシリテーターがそのための物理的、政治的、心理的なスペースを用意することだ。これには、場の文脈やワークのサポートの細部にまで注意を払うことが求められる。

- 参加者が新しい行動を試せるように、プロジェクトのスポンサーシップ、枠組み、グランドルールを整える（FBIのミーティングではこれを怠ってしまった）。
- ワークショップ会場には、重く固定された椅子やテーブルではなく、小さくて軽い椅子やテーブルを設置し、新しい人と新しい会話をできる配置に簡単に動かせるようにする（オンラインでも同等の配慮をする）。
- 個人のメモ帳やノートパソコンではなく、共有のフリップチャート、付箋、ブロック玩具（およびオンライン上で利用できる同等のもの）などの作業用資材を使用し、参加者全員がたやすく一緒に眺め、資材を活用して、アイデアを再編成したり修正したりできるようにする。

このような方法は、境界内での柔軟性を高め、参加者が新しいアイデア、関係、行動を生み出すことを可能にする。

こうしたコラボレーションは、従来の垂直型の方法とは根本的に異なるものである。従来の垂直型アプローチは線形で合理主義的である。まず何が問題であるかに合意し、次に解決策、そしてその解決策を実行するための計画（誰が何をするかを含む）に合意し、最後にその計画を合意通りに実行するというものであった。しかし、複雑で争いの絶えない状況では、垂直型アプローチはうまくいかないし、うまくいくよしもない。なぜなら、参加者が問題と解決策に合意することはまずないし、そもそも、何がうまくいくかは行動してみるまで誰にもわからないからである。

変容型ファシリテーションの実践では、グループの状況で何が起こっているのか（「主張する」と「探求する」の間の循環）、グループがどこを目指すのか（「結論を出す」と「先に進む」の間の循環）、どのような道筋をとるのか（「予め道筋を描く」と「発見する」の間の循環）について、徐々に反復しながら合意形成を行い、明確化を図っていくことになる。

１９９３年、プロのファシリテーターとして活動を始めた私にとって、最初の先生の一人がデイビッド・クリスリップだった。彼は、私が今でも拠り所にしている多くの基本を教えてくれた。個別のワークショップや一連のワークショップを展開するプロセスの設計方法、議題の準備やフリップチャートに読みやすく書く方法、ストーリーテリングや散歩の活用などである。[7]

２０１８年、私はある講演で、変容型ファシリテーションは従来の垂直型ファシリテーションとは異なるということを主張した。聴衆にはクリスリップがいたので、彼が25年前に教えてくれたアプローチを戯画化していると思われないか心配だった。しかし、その後、クリスリップは、「ファシリテーションの線形のアプローチ、つまり、最初にプロセスを描いて合意をとり、それに従うというやり方は、最近参加者が頻繁に直面する複雑な状況には適さない」と、賛同してくれた。

この「行動すべきことについてどのように考えてきたか」と「どのように実際に行動する

べきか」の対比は、カナダのマギル大学経営学の教授、ヘンリー・ミンツバーグがビジネススクールでビジネスパーソンに教える、意図的な計画による戦略と、実際に採用される創発的戦略の対比に類似している。ミンツバーグもまた、彫刻や工芸のイメージを用いている。「工芸は、伝統的な技術、献身、細部を極めることによる完璧さを想起させる。(職人の)心に湧き起こるのは、思考や理性よりも、長い経験と献身によって培われた、手元にある素材との親密さや調和の感覚である。計画策定と実行は学習による流動的なプロセスであり、それを通じて創造的な戦略が進化していく」[8]。このイメージは、フランシスコ・デ・ルーがコロンビアの真実委員会のセミナーの終わりに「私たちの状況は、まるでよくこねられた粘土のように、より柔軟なものになったと見受けます」と述べたときのイメージと同じものである。

変容型ファシリテーションでは、ファシリテーターと参加者は、能動的、反復的に、実地の体験を通じて泥にまみれるような実験を通して、**予め道筋を描く**ことと**発見する**ことの間を循環する。そのためには、自分たちがやっていることを進むにつれて**適応**させることが必要だ。

*

教育ラボのストーリーには、注目すべき結末がある。1年間運営した後、政治的、経済的な文脈が変化し、スポンサーからの支援が得られなくなって、計画やプロジェクトのすべてが危険にさらされることになった。私は、グループ内の横の関係の力学にばかり注目して、グループ全体に対する縦の関係からの要求に目を向けていなかったため、驚き、動揺し、怒った。このストレスの多い状況において、私は怯え、硬直し、垂直型の「何をすべきか知っている」の姿勢を倍増させた。私は参加者に教えてきたこと、つまり、イルカのように学び、フィードバックに耳を傾け、対立に取り組み、状況を切り開き、リラックスして、即興を行い、実験し、方向転換し、反復し、学び、適応することを自分自身できていなかったのだ。何事につけ、他人にアドバイスするのは容易だが、自分自身が行うのは難しい。最終的に、私たちファシリテーター・チームは、スポンサーとの相談の上、ラボを終了する時が来たと判断し、いくつかの成果といくつかの失望を残したまま、教育ラボを閉鎖した。共に前に進むことは、決して一筋縄ではいかない。

第9章 誰が何をするかをどのように決めるか？ ——「指揮する」ことと「伴走する」こと

変容型ファシリテーションは、人々が強制することなく、また強制されることなく協力し、その行動が自発的かつ協調的になるように支援する。彼らが取り組むべき4つ目の問いは、「誰が何をするかをどのように決めるか」である。

垂直型ファシリテーションでは、参加者たちは「リーダーが決める」と言い、リーダーが協働者の行動を割り振り、調整する。ファシリテーターは、リーダーが決めることをサポートする。このアプローチのプラス面は、行動が権威付けされ、合致《アライメント》を持って動くことができる点である。しかし、この方法を強調しすぎて、自発的な行動の余地をなくすと、弱体化した服従と抵抗的な不服従を生み出すというマイナス面に陥ってしまう。

水平型ファシリテーションでは、参加者たちは、「誰も私たちのボスではない。私たちそれぞれが何をするのか自分で決める」と言う。ファシリテーターは、参加者の自主的な行動の調整をサポートする。このアプローチのプラス面は、参加者の自発的な行動を尊重し、活用することである。しかし、権威と合致《アライメント》を欠いたこのアプローチを過度に強調すると、分離と不整合が生じるというマイナス面に陥る。

ここでも、変容型ファシリテーションは、2つの極の間を循環することで、両者の最も優れた面を得て、最悪の事態を回避する。ファシリテーターは、オーケストラやバンドの指揮者のように参加者を**指揮する**ことと、ピアノやドラムを演奏する伴奏者のように参加者に**伴走する**ことの2つのモードを用いることによって、参加者の行動の選択と調整を助ける。この2つの外側の動きをスムーズに循環するために、ファシリテーターに求められる内面のシフト、つまり具体的な注意の払い方は、**奉仕する**ことである。ファシリテーターが奉仕していると受け止められるとき、参加者たちは、ファシリテーターの指揮がたとえ厳しくても自分たちに役立ち、また、ファシリテーターの伴走がたとえリラックスしていても彼らの進展を助けるものだと理解し、信頼するようになる。このように、変容型ファシリテーションは、自発的かつ協調的な行動を可能にするのだ。

ファシリテーターが瞬間瞬間に、何度も何度も為さねばならない4つ目の基本的な選択は「指揮することに集中するか、それとも伴走することに集中するか」である。

指揮と伴走は、物事をやり遂げる2つの方法である

2010年、私はタイで、長年続く激しい政治的対立に絡む経済的・社会的難題を解決するためのコラボレーションの支援に取り組み始めた。2014年、軍がクーデターを起こしたことで、私たちの取り組みは一時的に停止した。タイの同僚たちの中には、軍事政権が紛争を抑制し、それによって国が抱える課題の進展が図れると考える人もいた。しかし、2018年になると、ほとんどの同僚が、軍事政権は事態を進展させることに失敗したと結論づけた。ある人は、元陸軍大将で軍事政権を率い、のちの選挙で政権トップになったプラユット・ジャンオーチャー首相が、自分が望む変化が起こらないことへ不満を漏らしていることを教えてくれた。「私は5万件の命令を下したが、実行されたのは500件に過ぎない」と言ったそうだ。

このコメントは、私にとって重要な意味を持つものだった。というのも、私は、組織やコミュニティで物事を成し遂げるのがどれほど難しいかについて不満を抱いている変化の担い手たちとよく話をするが、彼らの大半は真顔でこう言うからだ。「もし私が1日でも最高責任者になれたなら……」と。しかし、プラユットは何年も最高責任者の立場にありながら、物事を成し遂げるのに苦労していたのである。

大半の変化の担い手たちのように、多くの人々は、誰かがコントロールしている、またはするべきで、それによって人々にシンプルさ、安定性、安全性を提供できると思い込んでいる。

彼らは、物事が思うように進まないと、「なぜ彼ら（政府、上司、リーダーたち）はしないのだろうか」「ただ……すればよいのに」と嘆くのだ。

指揮命令型の垂直型リーダーシップのモデルは、身近でわかりやすいので、よく使われる既定路線である。人々はそれでうまくいってほしいと願うかもしれないが、多くの場合うまくいかない。これには、相互に関連する2つの理由がある。第1に、人々は、抑えがたいほどの脆弱性、不確実性、複雑性、曖昧性を特徴とする「VUCA」の状況に直面し、その結果、状況をコントロールできなくなっている。第2に、多くの社会や組織では、人々はヒエラルキーに縛られることが減り、また忠誠心も薄くなってきているため、人々をコントロールすることがより難しくなっている。タイの軍事政権のように権威主義的な組織構造は、このような変化が起きていることを認識していないため、難題を大きく進展させることができない。指揮することそれ自体に限界があるのだ。

＊

2018年、ポッシブル・メキシコのワークショップで、タイでの事例と対照的に、水平型アプローチで物事をやり遂げたストーリーを聞いた。私たちのファシリテーション・チームは、参加者がお互いをよく知るために、個人的なストーリーテリングの夕べを企画した。参加者の多くは、人生の中で困難な問題に直面していたことがあり、そのセッションは非常に素晴らしかった。あるストーリーが特に印象的だった。あるトランスジェンダーの政府職員は、10年前に大手食品会社の求人に応募したところ、面接でバカにされ、仕事に就けなかったというエピソードを語った。彼女は悲しげに、そして激しく語り、それを聞いていた私たちの多くは、この不当なストーリーに心を動かされたのだ。

数カ月後、別のチーム・メンバーである投資銀行家が、トランスジェンダーの女性を拒絶したその会社の取締役会で講演を行った。彼は、彼女の話を再現し、彼らの偏見を非難した。取締役会は、自社の社員採用の弱点を懸念していたこともあり、より公平性を高めるために会社の採用方針を改めることを決定した。

その話を聞いた私は、その投資銀行家になぜ、その会社の取締役会でこの問題を取り上げたのかを尋ねた。「チームメートの話を聞いたら、何も言わないわけにはいかなかったんです。そして、その話がその会社の会長の良心を刺激し、会長も何もしないわけにはいかなくなったのです」と彼は答えた(この話では、銀行家は、ポッシブル・メキシコのチーム内の合意としてではなく、自分の仕事上の影響力の範囲で自主的に行動を起こすことを決めたという意味で、水平型の行動をとったのである。その後、取締役会は新しい方針を実行するために垂直型で行動することを決めた)。

この投資銀行家の行動は、「ポッシブル・メキシコ」プロジェクトの目的の一つである「メキシコにおける公平性の拡大」の達成に貢献するものであった。他のメンバーも、時には個別に、時には共同で、プロジェクトの目的を達成するために行動を起こすことを選択した。しかし、全体から見ると、これらの自主的で協調性のない行動の貢献はささやかであった。垂直型の指揮することと同様に、水平型の伴走することにもそれ自体限界がある。変容型ファシリテーションの基本的な課題は、参加者が変容の目的を達成するために、いかにして指揮することと伴走することの両方をうまく行うかということである。

＊

２０２１年１月にハイチの未来について３日間の複雑なワークショップをファシリテートしたとき、指揮することと伴走することの双方の必要性を感じた。ワークショップは、その前日に中止になりかけた。暴力を伴う抗議活動によって、会場までの道路を通行するのが危険な状態になったのだ。ワークショップは技術的にも複雑なものとなった。新型コロナ感染症の拡大のために集会が制限され、すべてのセッションがハイチ・クレオール語で行われた。35人の参加者と４人の地元のファシリテーターが実際の会場に集まり、別の10人はハイチ、アメリカ、フランスの自宅からＺｏｏｍによるオンライン参加、デンマークにいるハイチ人のファシリテーターがサポートし、私とレオスの同僚のマヌエラ・レストレポはカナダとコロンビアからそれぞれ通訳を介してファシリテーターとして参加したのだ。

この設定は、プロセスを指揮するレオスにとって大きな制約となり、多くの事柄について、クレオール語で直接参加者とコミュニケーションが取れるハイチ人の共同ファシリテーターの判断に頼らざるを得なかった。レオス・チームは、ＺｏｏｍやWhatsAppのチャットで理解できるグループ内の状況に細心の注意を払い、瞬間瞬間に、参加者と共同ファシリテーターたちとの間で指揮することと伴走することを行ったり来たりしなければならなかった。

＊

私はレオスでのマネジャーとしての役割でも、指揮することと伴走することの間の緊張感を感じている。マネジャーとして、社内で誰かに何かをしてもらう権限には、限りがある。また、顧客グループのファシリテーターとしての役割においても、参加者に何かをさせる権限はない。参加者が許容してくれる範囲でしか指揮や伴走はできないのだ。ゆえに、どちらの役割においても、社員や参加者たちには、自らの選択で行動できるような理解と意志に至ってもらう必要がある。

「指揮する」と「伴走する」を組み合わせる鍵は奉仕である

変容型ファシリテーションでは、ファシリテーターは参加者が取るべき行動（特にプロセス上の行動）を助言することと、参加者が選択した行動を取るのを支援することの間を循環する。

ファシリテーターがこれを成功させることができるのは、参加者の仕事に真に奉仕していると見なされた場合に限られる。

1993年、コンサルタントやファシリテーターとして独立したばかりで、シェルのグローバル企画部門の一員として持っていた権限を持ち合わせなくなった頃、ビジネスパートナーのビル・オブライエンに導きを受けた。ハノーバー保険の社長を退任し、価値観に基づく企業リーダーシップのパイオニアであったビル・オブライエンだ。彼は、「奉仕する」のではなく「奉仕される」ことを期待する経営者たちを痛烈に批判した。彼は、どんな凡人でも誰もが「でたらめ探知機」を持っていて、不誠実な奉仕には騙されないと警告してくれた。参加者はしばしば、ファシリテーターが自分たちを操ろうとしていると考える（「ファシリテーションを装ったマニピュレーション（facipulation）という皮肉な造語もある」）。ハワード・ガブリエルズがモン・フルーでの私の行動を疑っていたのと同じである。ファシリテーターが効果的に奉仕できるのは、参加者が自分たちは本当に奉仕を受けているのだと確信できる場合だけだ。

変容型ファシリテーションにおいて、ファシリテーターはリーダーではない。グループのメンバーが自分自身をリードできるようにすることが役割だ。私の同僚であるベティー・スー・フラワーズが私に言った。

私は、ファシリテーターがリーダーであると勘違いしたような、ひどいファシリテーションをたくさん経験してきました。オーケストラの指揮者にでもなったようなつもりで、トランペットを小さくして、バイオリンが喧噪の中で盛り上がれるようにしようなどということは、安易にやってしまいがちです。しかし、指揮者もオーケストラのみんなも楽譜に従っています。真のリーダーは作曲家です。ファシリテーションに置きかえれば、音楽をリアルタイムで作曲しているのはグループです。ファシリテーターは、その複雑なパートや動きをすべて聞いて、それを増幅し、最終的には楽譜に書き留めることができる「だけ」でよいのです。

参加者が協働しているとき、彼らは一方的に強制したり、適応したり、離脱したりしない。彼らは他人を支配したり、支配されたりしないことを選ぶのだ。したがって、コラボレーションをファシリテーションするためには謙虚さが求められる。これは「格好いいリーダー」になりたがるファシリテーターには無理な話だ。

2002年、私は米国バーモント州ストウで行われた大規模な国際ワークショップでファシリテーションを行った。思慮深く繊細な同僚、スーザン・テイラーと参加した。私たちは何年も一緒に仕事をしてきたが、彼女は私がファシリテーションをしているところを見たことはなかった。オフィスでは、いつも私は静かにしているか、無愛想にしているかだが、このワークショップでは別人のように見えたという。「あなたがあんなに生き生きしているのを見たのは初めて！」と言うのだ。

　テイラーが私のファシリテーションを見て気づいたことの一端は、長年の実践の結果、私がこの仕事を得意とし、不安なくこなせるようになったこと、そして、このライブの公開パフォーマンスを行うような高難度の挑戦と注目が集まる機会をリラックスして楽しむことができるようになったことだ。もっと根本的なことを言えば、ファシリテーションは私の天職であり、私が選んだ生涯の奉仕の道である。奉仕することで、小さく、防衛的で、エゴイスティックな自分から抜け出し、より大きく、より良い、より生き生きとした自分を実現することができるし、そうすることで、他の人にも同じようにするよう促すことができるのだ。

　オブライエンとファシリテーションをしていたとき、彼はいつも、ミーティングを始める直前の30分間1人になって考えをまとめることにこだわっていた。彼は、「介入が成功するかどうかは、介入者の内面の在り方に左右される」と言っていた。オブライエンは、ファシリテーターの内面的な姿勢の重要性を指摘し、特に彼が「愛」と呼ぶものを持って奉仕することに焦点を合わせていた。「愛とは、他人が完全な存在になること、つまりその能力を最大限に発揮できるように助けるための素因である。愛は、突然襲ってくるものではなく、意志の働きによるものだ。『意志の働き』があれば、誰かを愛するために、その人を好きになる必要はない」と書いている[1]。

＊

私は、2019年にエチオピアで、奉仕することのインパクトを目の当たりにした。エチオピアでは長い間、独裁政権が続いていたが、アビィ・アハメド首相は、政治的拘束者の解放、亡命した反体制派や反乱軍の帰国、元政治犯であった人々を選挙管理委員会などの機関の役職に任命するなど、大規模な国家改革を行おうとしていた。これらの行動と隣国エリトリアとの和平が評価され、同年のノーベル平和賞が授与された。しかし、民族的、宗教的、地域的、政治的緊張の中で、物事がどのように機能し、誰が何を支配するのかに関する急激な変化は、平和と同時に暴力も生んだ。エチオピア国内では、世界のどの国よりも多い300万人が国内難民となっていたのだ。エチオピア人が強制的かつ一時的にではなく、民主的かつ持続的に、自国を変革するためには、信頼を築くことが必要であった。

その年、ディステニー・エチオピア・プロジェクトは、平和と進歩に貢献するために、国内のあらゆる主要なグループから50人のリーダーたちを招集した。2019年7月に行われた2回目のワークショップが終了する際に、チーム・メンバーの一人である野党政治家が、ミーティングを行っていた田舎のホテルの正面階段に立っていた。そのイベントの数週間前の致命的な政治的暴力が勃発した際、彼の党員は政府によって一斉に検挙されていたため、彼はワークショップに来ることを恐れ、会議の主催者に、特殊部隊に守られた護衛車両に守られながらカムフラージュして移動できるよう手配を依頼した。ワークショップの最終日、主催者はその政治家に、首都に帰るときも同様の手配が必要かを尋ねた。その政治家は、近くにいた与党のリーダーに体を寄せながら、「いや、彼と一緒に帰るよ」と答えた。多くの場合、コラボレーションには勇気が必要だ。

この野党政治家は、ワークショップ中のさまざまな全体活動や小グループでの活動の中で、政敵と会い、観察し、話し合った結果、この劇的な変化を遂げたのだ。このような信頼関係の構築のプロセスは複雑ではないが、非常に重要なものだ。信頼の欠如は、恐怖心、防御心、硬直性を生む。信頼があれば、開放性、流動性、そしてリスクをとる意欲が生まれる。国、コミュニティ、企業など、あらゆる変容には信頼が必要だ。信頼は、貢献、つながり、平等を生み出すために必要なものなのだ。

2019年12月、チーム全員がアディスアベバのホテルの大宴会場のステージに立ち、国内外の要人やメディアの前で、テレビとインターネットで生中継し、手を取り合って、国の未来を良くするための共同行動についての宣言を読み上げた。彼らは、団結と相互尊重を示すために、このイベントの演出を行った。歓迎の言葉は、民族の第2の母国語であり、国の公用語であるアムハラ語だけでなく、英語と5つの言語で語られた。報告書の各パートの発表は、対立する政党の政治家2人ずつが担当し、発表者は聴衆の面前でのくじ引きで選ばれた。各メンバーは、このプロジェクトが自分にとってどのような意味を持つのか、簡潔に語った。すべての証言に共通していた主題は、「協働することは不可能と思っていたが、実は可能であることを発見した」ということであった。

その後、チームのメンバーはテレビ、ラジオ、会議のインタビューやパネルに一緒に出演し、クイズ番組で共演もした。国全体の人々が、複雑な課題に対して、これまでとは根本的に異なる方法で取り組んでいることを目の当たりにした。リーダーたちは、対立する人々に対して思慮深く、敬意を払い、リラックスし、オープンな態度で接していたのである。このチームの努力は、国全体に平和をもたらすには十分ではなく、2020年には北部で再び激しい紛争が発生した。しかし、このチームは信頼と平和を構築するために必要なことを実証した。

ファシリテーション・チームが、参加者がこのような並外れた、協調的で社会的に重要なアクションを選択するプロセスの運営をやり遂げることができた主たる理由は、彼らが参加者たちに奉仕したことだ。2017年末、私はネグス・アクリルというエチオピアの若い専門家とこのようなプロジェクトの可能性についてやりとりを始め、その6カ月後に彼と彼の友人2人と会って、この取り組みについて話し合った。私は彼らのことを気に入り、協力したいと思ったが、彼らにこのプロジェクトを軌道に乗せるだけの力があるのかどうか、疑問に思っていた。彼らには、分裂したエチオピア全土の政治的、社会的リーダーを招集できるほどの力もコネもないと思ったからだ。エチオピアに変化をもたらすようなコラボレーションを行うために必要な支援も受けられるとは想像していなかった。

しかし、2019年半ばまでに、ネグスたちは前例のない影響力と多様性を持つチームを編成することに成功していた。彼らがこれを実現したのは、端的に、何カ月も何カ月も会議を重ね、自分たちがやろうとしていることを説明し、必要な人材を少しずつ集めていったからだ。目覚ましい成功の源は、彼らに会った人なら誰の目にも明らかであった。彼らは、国の文脈に合った斬新な提案をし、個人的な利益のためではなく、国益のために行動することを、執念深く、勇気をもってやり続けたのだ。彼らは、普通の市民でありながら、並外れた人格を持ち、奉仕の精神にあふれた人物であると、出会った人々の目に映った。

ネグスのファシリテーションは、リーダーたちがプロジェクトに参加する土壌を耕すことに重点を置いていた。リーダーたちはそれぞれ個人的、政治的な特殊性とニーズを持っており、彼らの多くは要求が高く、参加させるのが大変だったが、ネグスは全員に敬意と愛情をもって接した。自分の他の仕事をファシリテーション・チームの他のメンバーに任せることに満足していた。ファシリテーション・チーム全員による最初の企画会議では、多くを語らなかったが、私がチームの規範について意見を求めたときに彼は「プロジェクトを危険にさらすような行動以外は、どんな小さな欠点があっても我慢できる」ときっぱり答えた。ワークショップの間、1日2回のファシリテーション・チームのミーティングで、ネグスは「クラウド9のサービス」を参加者に提供することを常に念押ししていた（これは、エチオピア航空のVIPクラブのスローガンである）。

ネグスが参加者に奉仕することに重点を置いていたおかげで、プロジェクトを成功させることができた。プロジェクトの文脈は不安定で危険なものであったため、参加者はお互いに、そして私たちファシリテーション・チームを信頼するのに時間を要した。当初、参加者の多くは、ネグスたちが党派的な意図を隠し持っているのではないかと心配したが、プロジェクトが進むにつれて、ネグスや我々の意図は、単に彼らに、そして彼らを通じてプロジェクトや国に奉仕することだと結論づけた人が大半であった。

このように、参加者がファシリテーション・チームの意図を信頼していたからこそ、私たちは指揮することと伴走することの間を流動的に行き来することができた。ステークホルダー・ワークショップのような特定の目的のある活動においては、目的、方法論、ペース、グランドルールなど、まるでオーケストラの指揮者のような指示を出した。また、参加者自身が多様な人々と関わる活動を実施する際には、後を追うように参加者のエネルギーを引き出しながら、まるで勤勉なピアニストのように伴走をすることもあった。川を押し流すのでもなく、流れに任せるのでもなく、流れを阻むものを排除するために、精力的に、そして注意深く取り組んだ。

ネグスの誠実で謙虚な奉仕の姿勢は、私たちファシリテーション・チームとプロジェクトの基盤となった。彼は、私たちの役割を、プロジェクトの整合性を保つための「専門的、技術的だが退屈な重労働」であると表現した。多くの複雑な問題や課題に直面したが、コラボレーションを台無しにしがちな対抗的でエゴイスティックな争いはほとんどなかった。私はネグスを信頼し、彼の模範例に触発され、いつもより謙虚に、自己主張とコントロールを抑えて、ファシリテーションの役割を果たした。

ファシリテーターは、参加者に何かをさせることはできないが、参加者が選択することに従っているだけでは不十分だ。ファシリテーターの仕事は、参加者が共に前に進めるように、行動を選択し、調整することである。交渉術のバイブル『ハーバード流交渉術　必ず「望む結果」を引き出せる！』（三笠書房、２０１１年）の著者であるロジャー・フィッシャーは、かつて私にこうアドバイスをしてくれた。「おひとよしでいるのではなく、信頼されるようになりなさい」。変容型ファシリテーションでは、ファシリテーターと参加者は、必要に応じて**指揮する**ことと**伴走する**ことの間を何度も循環して行き来する。そのためには、純粋に、謙虚に、信頼に値するよう**奉仕する**ことが必要なのだ。

第10章 自分の役割をどのように理解するか? ――「外側に立つ」ことと「内側に立つ」こと

変容型ファシリテーションとは、参加者とファシリテーターが協働して、問題の絡み合う状況を変容させていくプロセスである。彼らが取り組むべき5つ目にして最も根本的な問いは、「自分たちの役割と責任をどのように理解するか」である。

垂直型ファシリテーションでは、参加者は自分たちが直面している状況を問題が絡み合うと考え、それに対処するために協働している。彼らは、あたかも自分がその状況の**外側**にいる(離れている)かのように、「それを直すことだ」と言って、状況にアプローチする。ファシリテーターもまた、自分たちを外側に位置づけている。自分たちの役割は、状況を変えられるように、参加者が行っていることを変える支援をすることだと考えている。このアプローチのプラス面は、客観性があることだ。このアプローチを強調しすぎて、個人的な責任を認める余地がなくなると、冷淡さと放棄というマイナス面が生まれる。つまり、状況が変わるためには、**他の人々**が変わらなければならないという傲慢な見方になってしまうのである。

水平型ファシリテーションでは、参加者は自分自身を状況の内側（一部）と見なす。彼らは、物事が現状のようになっていることの責任の一端は自分たちにあり、したがって、物事の在り方を変える責任の一端も自分たちにあると考えるからこそ、協力するのである。彼らは、「それぞれが自身の振る舞いを正すことだ」と言う。ファシリテーターは、グループの中で自分の役割を果たし、ファシリテーター自身も起こっていることの責任の一端を担っていることを理解している。このアプローチのプラス面は、自己内省と自己責任である。このアプローチを強調しすぎて、外側から自身を見つめる視点を持つ余裕がなくなると、近視眼的な思考を生み出す。つまり、人々は個人の力学にとらわれすぎて、状況のより大きなシステムの力学を見失ってしまうのだ。

ここでもまた、変容型ファシリテーションは、2つの極の間を循環することで、両者の最も優れた面を得て、最悪の事態を回避する。ファシリテーターは、自分自身をグループと状況の外側と内側の両方に位置づけ、それによって参加者も同じことができるように支援する。この2つの外側の動きの間を循環させることができるように、ファシリテーターに求められる内面のシフト、つまり具体的な注意の払い方は**パートナーとなる**ことである。

ファシリテーターが瞬間瞬間に、何度も何度も為さねばならない5つ目の、そして最も基本的な選択は「外側に立つことに集中するか、内側に立つことに集中するか」である。

ファシリテーターは2つの世界に立っている

最初のワークショップに向けて完璧な準備ができた。私はそう考えていた。その8カ月前の2018年3月、ミシパウィスティク・クリー族の一員で、カナダのマニトバ大学にあるオンゴミイズイン先住民健康治癒研究所の常任理事、メラニー・マッキノンからメールを受け取っていた。マッキノンはキャリアを通じてカナダ先住民（ファースト・ネーションズ）の健康問題に携わり、今こそが事態を良くするための好機であると考えていた。

一方で、先住民に対する組織的な人種差別が、マニトバ州のカナダ先住民の健康状態の悪化を招いていた。彼らの平均余命は、他のマニトバ州民の平均余命よりも11年短かった。2002年にはその差は7年だったので、その時よりもさらに悪化していたのだ。一方で、政治的な文脈は期待が持てるものになっていた。マニトバ州の3つの主要なカナダ先住民の政治団体は、健康について協働することに合意し、カナダ連邦政府は、この分野でより大きな権限をカナダ先住民に与えるための法改正に前向きだった。さらに、マニトバ州の多くの先住民は、経済的、職業的、精神的に地位を向上させていた。タートルロッジ・セントラル・ハウス・オブ・ナレッジのデビッド・コーシェン・ジュニアが招集した先住民の長老たちは、伝統的で主権的な在り方や、こうした状況に対処する方法を改めて明確化し主張していた（「それぞれが自身の振る舞いを正すことだ」）。マッキノンは、マニトバ州首長会議のグランドチーフであるアーレン・デュマの顧問に任命されたばかりで、彼の公式な支持のもと、マニトバ州のカナダ先住民の医療制度を変革する野心的なプロジェクトを立ち上げていた。

マッキノンは、それぞれのカナダ先住民の間と、先住民と後に移住してきたカナダ人の間に深く根ざした政治、経済、制度、文化の違いなど、貢献、つながり、平等を阻むシステム的な障害を理解していた。彼女のアイデアは、カナダ先住民の多様なリーダーたちを招集し、「**ミノ・ピマティシウィン**（クリー語で「良い生活」）」に向けた運動を作り出すことだった。そして、カナダ先住民の複雑な課題に対するアプローチと、レオス・パートナーズのアプローチを融合させて、新しい方法論を編み出したいと考えていた。[1] 私は自分が世界中で学んだことを母国カナダで活かし、このような重要な問題の解決に貢献できることにワクワクしていた（南アフリカ共和国のアパルトヘイト［人種隔離・抑圧政策］は、カナダの先住民保護区の制度をモデルにしていたのだ）。その数年前、私は連邦政府の役人主導で始められた類似のプロジェクトをブリティッシュ・コロンビア州のカナダ先住民たちと開始したが、頓挫してしまったため、カナダ先住民が主導し統治するプロジェクトに再挑戦したいという願いもあった。

私たちは、地元のさまざまなカナダ先住民の組織の専門家6人とレオスの5人からなるファシリテーション・チームを結成した。まず長老や知識保持者（コーシェンや彼のグループのメンバー）、首長、若者、保健・教育・社会サービスの専門家、そして州政府や連邦政府の政治家や役人と協働するプロセスを設計した。そして11月、凍てつくウィニペグ湖畔の小さなホテルで、チーム初のワークショップを開始しようとしていた。政治的、職業的なパートナーシップによって、レオス社はこの仕事をするのに適した立場にあり、長年にわたってこのようなプロセスのファシリテーターを務めてきた私は、今何をすべきかを知っていると確信していた。

しかし、私は間違っていた。

レオス社の最も得意とする実証された手法でワークショップを始めたが、参加者たちは即座に反発を示した。私たちは参加者全員にそれぞれ1分間で自己紹介をするように求めた（メキシコでは平等の重要な象徴であった）。しかし、参加者の多く、特に年長者たちは、ベルを鳴らして中断されることに気分を害した。そのベルの響きは、先住民の子どもたちが送られた虐待的な収容学校で鳴らされた鐘を思い起こさせるものだった。私たちは、話し方と聞き方の4つのモードを紹介し、ペアで実践してもらった。その中には、コロンビアでとても感動的だった、パートナーがお互いの目を見るというプレゼンシング・モードの練習もあった。だがコーシェンや他の何人かは、これは文化的に不適切であると感じた。また、マニトバ州のカナダ先住民の生活の今の現実を表すようなオブジェクトを持ち寄り発表してもらったが（薬物プロジェクトでは、対照的な視点からの豊かな絵が描かれていた）、これがトラウマになっている経験を呼び起こすと感じる人もいた。

そして、今までと同じように、私の信用を確立するために他の場所で実施した過去のプロジェクトの例を紹介しながら、私たちが使う方法論を説明し始めた。クロスレイク・ファースト・ネーションの元グランドチーフ、ジョージ・マスワゴンが、穏やかな声で感情を交えずに声を上げた。「お前さんは信頼できない」

私は怖いと感じた。過去に2度、ワークショップの参加者からファシリテーターとしての私を拒絶され、ワークショップから去るように言われたことがあった。このような経験は屈辱的だと知っていた。そして、マニトバ州への貢献、私やレオス社の評判と収入につながると期待していたこのプロジェクトから追い出されたくはなかった。自分のファシリテーション能力を過信し、失敗を恐れるあまり、ビル・オブライエンが強調した「オープンな心での奉仕」という私の姿勢は、覆い隠される危険性があった。

そのとき、私は、十二分に注意を払っていた。なぜマスワゴンやコーシェンらが私を信用せず、ファシリテーション・チームと私が提案するプロセスに従おうとしないのか、その理由がわかる気がした。多くのファシリテーターはよく考えもせず、参加者たちが「ただ気難しいだけ」と想定してしまうものだが、私はそうではないことを理解した。カナダでは（他の国と同様に）何世紀もの間、先住民が植民地化され、虐殺され、抑圧され、疎外され、白人に騙されてきたのだ。白人たちは自分たちのやり方で傲慢に物事を押しつけてきた。このワークショップの参加者は、私がこの垂直型の「正しい答えを私たちが持っている」というアプローチを再現していると考え、それを受け入れる余地がなかったのだ。彼らは、このプロセスを自分たちの状況ややり方に合った方法で実行することを望んでいた。

私は、残りの説明を言葉につかえながら進めた。そして終わったとき、マッキノンはマスワゴンに今なら私を信頼するかと尋ねた。彼は、「いいや。しかし、このプロセスは信頼する」と答えた。その時、私は自分が何をすべきかがはっきりとわかった。私は「あなた方に私やそのプロセスを信頼せよとは申しません。次のステップに進み、そしてどのような進捗があるか、次に何を行うかを確認することを提案しています」と言った。彼は同意し、私たちは継続した。この「パートナーとなる」発言で、私はグループから離れた存在から、グループの一員となることができたのだ。

しばらくして、ワークショップは休憩に入った。参加者たちは隣の部屋でコーヒーを飲み、ファシリテーション・チームは会議室でテーブルを囲んだ。私たちは皆、参加者が私たちのプロセスを拒否したことに動揺していた。先住民のファシリテーターは、先住民の教えや慣習を理解した上でこの革新的なプロセスをデザインした、自分たちの役割が参加者に認められなかったことに、不快感を覚えた。私は正当に評価されていないと感じ、辞めてしまいたいと思った。

しかし、15分も経たないうちに、私たちは大きく方向転換することを決めた。休憩後からは、レオス社の方法論の優位性を減らす別のアプローチをとったのだ。毎日の活動を、コーシェンらが主導する伝統的なスピリチュアルな儀式で始め、終えた。構造化されたアクティビティは、より少なく、より短く修正した。ファシリテーション・チームのうち、先住民のメンバーによるファシリテーションを増やし、レオスのメンバーによるものは少なくした。長老たちの間では長老たちが自らファシリテーションする会話も並行して行われた。ワークショップの3日目には、私は紛れもなく謙虚な立場にシフトしていた。ワークショップのセッションでは一言もしゃべらず、縁の下からグループをサポートし、お菓子を出したり、汚れた皿やコーヒーカップを回収したりすることに専念していたのだ。その日は私の誕生日で、セレモニーの後コーシェンが私の健康を祈り、マスワゴンが私に聖なるものの贈り物をくれた。私は、外側に立ち、上から目線だった過ちを許されたのだ。

私が、他の文脈で成功したアクティビティを使うことを主張した（それまでに形成された理論や実践をダウンロードしている）際、私はそのときその場所で自分たちが直面している特定の状況に十分な注意を払っていなかった。しかし、マスワゴンの発言で、ファシリテーション・チーム全体がこの状況をより明確に捉えることができ、うまく方向転換することができた。変容型ファシリテーションでは、本書で紹介するようなフレームワークを学び、実践した上で、さらにそのフレームワークを保留して、目の前の状況に注意を向ける必要があるのだ。

＊

新しく、より緊密に編み込まれたアプローチはうまく機能し、その後数カ月の間にプロジェクトは進展した。[2] ファシリテーション・チームは、次のように最初の4対の極性に働きかけることに成功した。

1 私たちの経験から、最も効果的と思われるプロセスを主張し、また、参加者の意見を聞き、それを反映させる。

2 プロジェクトのマイルストーン達成のための合意を築き、また、合意しない状態が続いても先に進み続ける。

3 プロジェクトの道筋を予め描き、また、次にやるべきことを見つけながら方向転換する。

4 プロジェクト全体の指揮を執り、また、参加者がそれぞれの課題や制約に対応できるよう伴走する。

この4対の極性をうまく使いこなすことができたのは、5つ目の、より根源的な極性である**離れていること（apart）**と**一部であること（a part）**をうまく使いこなすことができたからであった。私たちのチームは、マニトバ州の先住民の外側と内側の両方から集まったゆえに、両方の経験や視点を仕事に取り入れることができた。また、先住民の間、あるいは先住民と後に移住してきたカナダ人との間での、認識やリソース、自己実現をめぐる困難など、より大きなシステムにおける複雑な力学が、チーム内に表れていた。クリー族とアニシナベ族の血を引くファシリテーション・チームのマーシャ・アンダーソンは、黒人の公民権運動家オードリー・ロードの言葉「主人の道具で主人の家を解体することは絶対にできない」を思い起こさせた。[3]カナダ先住民の貢献、つながり、平等を阻むものを取り除くには、外からの私のツールは決して十分ではなかったのだ。

私たちはあきらめなかった。時には痛みを伴い、時には遊び心にあふれたこれらのダイナミクスを意識し、注意を払うことで、共に前に進み、参加者が同じように共に前に進むのを助けることができた。ファシリテーション・チームにおけるカナダ先住民とレオス社のパートナーシップは、このプロジェクトを成功させるために不可欠なものであった。

特にマスワゴンが私を信頼できないと言ったときから、私はこの5つ目の極性の緊張感を覚えた。一方では、自分自身をマニトバの先住民の状況とはかけ離れた存在として見る自分がいた。私はマニトバ出身でも先住民でもなく、彼らからは部外者と見られていた。私は独立性と国際的な経験に基づいて外部の専門家として雇われた。その立場とマッキノンとデュマに支援するよう依頼されたことに満足し、独り善がりでさえあった。その一方で、マスワゴンや他の参加者が明らかにしたように、私は単なる中立的な部外者ではなく、彼らが問題の絡み合っている状況と考えるカナダのシステムの一部であった（南アフリカのモン・フルールで白人の参加者がそうであったように、今や私も「入植者」と呼ばれる立場にあった）。しかし、私とファシリテーション・チームは、この永続的な緊張を理解し、パートナーとして共に生きようとした。そうすることで、私たちは足並みを揃えて前に進むことができたのだ。

また、マスワゴンと私は何度か食事をしながら話をする機会もあった。初対面での彼の言葉からすると、私に対する彼の優しさは意外だった。「私の民族の歴史からして、キャンディーのように信頼をばらまくわけにはいかない」と彼は言った。「しかし、私はあなたを観察し、祈り、あなたが良い人であると判断した。このようにして得られた信頼はシンプルであり、長続きするだろう」

外側に立つことは価値がある

ファシリテーターの従来のスタンスは、状況や参加者から離れて立つことだ。注意深く、支援的であろうとするが、状況やそれを変える努力に対する責任とリスクは参加者側にあることを明確にする。ファシリテーターは中立的なレフェリーであり、グループが進展するために役立つこともあれば、すぐに忘れ去られてしまうようなちっぽけな存在であることもある。ほとんどのファシリテーターにとって、これは快適な既定の位置づけである。

ファシリテーターが離れたところ、外側から状況やグループを観察し、貢献することは有益ではある。南アフリカでの最初の経験から、今回のマニトバでの経験まで、状況への関与はそれほどしない、より客観的な外部の立場であったからこそ、私はその状況に利害関係と長い関わり合いがあり、一歩下がって新鮮な視点で物事を見る必要がある参加者のグループをサポートすることができた。ほとんどの場合私は、怒りや恐怖が渦巻いている状況でも、固唾をのんで見守ることなく、冷静に好奇心を持って接することができる。

ファシリテーターが離れていることで、参加者は自分の状況について、距離を置き、冷静に見ることができる。リーダーシップの研究者であるロナルド・ハイフェッツとマーティ・リンスキーはこう書いている。

行動している最中に視点を保つ能力は、抵抗を和らげるために非常に重要だ。軍人なら誰でも、特に「戦争の霧」の中で内省の能力を維持することの重要性を知っている。優れたアスリートは、ゲームをプレイすると同時に、ゲーム全体を観察しなければならない。私たちはこのスキルを「ダンスフロアを離れてバルコニーに上がる」と呼んでいるが、これは行動から一歩下がって、「ここで実際に何が起こっているのか」と問いかける認知活動をイメージしたものである。[4]

レオスのプロジェクトでは、ステークホルダーのグループがバルコニーに上がるのを支援する一つの方法として、最初のミーティングの前に参加者一人ひとりと話をし、彼らの発言から匿名で引用した発言録のリストをまとめてレポートにして送付する。最初のワークショップでは、この文書を、あたかも他人の発言であるかのように、外から客観的に検討し、議論してもらう。バルコニーに上がるということは、自分の立場や視点を保留する一つの方法である。

バルコニーに上がるもう一つの方法は、参加者とファシリテーターが、自分たちが取り組んでいる大きな社会状況（マクロコスモス）のダイナミクスが、自分たちのグループ（ミクロコスモス）の中にどのように現れているかを観察することである。マニトバでは、カナダ先住民とカナダ人のダイナミクスがファシリテーション・チームの中にどのように現れているかに注目することで、より大きなダイナミクスを明確に把握することができた。このように、「離れて立つ」ことは、現状を理解し、それを変容するために重要な役割を果たすのである。

内側に立つことは価値がある

問題の絡み合う状況から離れて立つことも有効だが、その反対でかつより困難なのが、状況の一部である自分の役割を認めて行動することだ。ボストン・カレッジのリーダーシップの教授であるビル・トルバートに、こう言われたことがある。「『問題解決に参加しない人がいたら、その人は問題の一部なのだ』という1960年代のスローガンは、重要な点を見落としている。『問題の一部でなければ、問題解決に参加しようがない』のだ」。自分のしていること、していないことがどのように問題の絡み合う状況を生み出す一因になっているのか把握しない限り、その状況を内側から変えることに貢献できない。マニトバでのワークショップの初日に、私とグループとの間で起こったように、外から、そして上からというスタンスは、しばしば見下しや押しつけを生み、その結果、相殺する反作用となる抵抗や不信感を生み出す。このような垂直性（「正しい答えを私たちが持っている」）は、防衛的な水平性（「それぞれ自分の答えがある」）を生み出す。

多くのファシリテーターは、自分自身を外側に位置づけている。例えば、車の中から家に電話をかけて、「私は渋滞（の一部）である」と言わずに「私は渋滞の中にいる」と言う人のように、ファシリテーターは状況の一部としてではなく、状況の外から働きかけている。この「離れている」という立場によって、状況を変えるために貢献できる方法は制限される。この立場では（コンサルタントのように）助言するか、（上司のように）強制することしかできないのだ。もし、協力者として貢献したいのであれば、自分が現在とっている、あるいはとっていない役割や行動が現状を招いていることを認識し、責任を引き受ける必要がある。このように、より謙虚な二重の位置づけをすることで、ファシリテーターはより大きな影響力を持ちうる。政治的・心理的に、自分を外側に、そして上に置くこと（「私は無実である」）に慣れている人々にとって、このような責任を引き受けること（「私は無実ではない」）は、不快なストレッチを伴う。したがって、コラボレーションを通じて変容をもたらそうとする際の重要な課題は、自分がいかに問題の絡み合う状況の一部であるかを理解できるようになることである。

＊

２００６年、私はインドで、子どもの栄養不良を減らすという野心的で複雑なマルチステークホルダーによるコラボレーションのファシリテーションを行った。ある時点で、プロジェクトがあまりに複雑で混乱したため、私は現地の同僚であるアルン・マイラに相談し、私たちがやろうとしていることは一体何なのかを聞いたところ、こう答えが返ってきた。「忘れてはならないのは、ステークホルダーのリーダーが集まって問題に取り組む場合、まずたいていは、一人残らずこう考えているということだ。ほかの人たちが自分の考えや行動を変えてくれさえすれば、問題は解決するのに、とね。だが、全ステークホルダーが問題に関わっている以上、責められる他者はいないということになる！　ここで必要なイノベーションの本質は、このリーダーたちに自分自身がしていることをどう変える必要があるか、よく考えてもらうことなんだ」

数年前、私はホルヘ・タラベラというパラグアイの同僚と何度か共同ファシリテーターを務めたことがある。私はスペイン語が苦手で、彼も英語が苦手だったので、ワークショップでの会話は重要な事柄だけに限定した。私たちが重要と考えたダイナミクスは「**エル・クリック**(el click：カチッという音という意味)」と呼ばれるものだ。ワークショップの最中に、参加者が、自分たちが取り組んでいる問題の絡み合う状況を変えるためには、自分たち自身が変わる必要があることに気づく瞬間のことを指す。

この重要な気づきの瞬間は、参加者に比べるとファシリテーターにはあまり起こらない。状況におけるファシリテーターの役割は、通常、ステークホルダーよりも遠く離れ、明白ではないことが多い。しかし、問題に自らが加担していることについて、その大小にかかわらず、ファシリテーターは認識できなければならない。マニトバでのワークショップの初日、マスワゴンの発言のおかげで、カナダ先住民とカナダ人の状況を「離れて」見ていた自分の役割の認識から、実はその「一部」でもあるという認識へと転換する気づきのエル・クリックを得ることができた。このような「外側に立つ」と「内側に立つ」の切り替えが、変容型ファシリテーションには必要なのだ。

私たちは、自分が見ていなかったもの、好きでなかったものを誰かに見せられると、たいてい不快感や否定感で反発してしまう。マッキノンと仕事を始めた頃、彼女にウィニペグ湖畔で開催されたカナダ先住民保健会議に招待され、講演を依頼されたことがある。彼女たちと一緒に聴衆席に座り、白人の連邦政府高官の発表を聞き、そしてデュマがその高官の傲慢さを批判するのを聞きながら、善人の側にいることを嬉しく思っていた。その後、マスワゴンに「お前さんは信頼できない」と言われた時、怖いとは思ったが、彼の話を聞くことができた。対立しているようでもあり、同時に受け入れているようでもあるこの出会いによって、私は自分のやっていることをより明確に理解し、変えることができたのだ。

*

同僚のイアン・プリンスルーは、参加者が「離れている」ことと「一部である」ことの間を行き来することを探求できるようにするためのワークショップでのアクティビティを考案した。参加者に、自分が直面している問題の絡み合う状況について、1ページのエッセイを2つ書いてもらうのだ。1つ目のエッセイでは、その状況を外から観察している、あるいは状況に外から指示を出しているかのように描写し、その状況を作り出している他の人々の行動と、その状況を**突破**し前進させるために他の人々が他に何をすべきかを詳細に書き記す。2つ目のエッセイでは、この同じ状況を、あたかも自分自身が内側から参加して共創しているかのように描写し、自分がやっていることが現状維持の一要因であり、状況をブレイクスルーして前進させるために自分は今までと異なる行動をとる必要があることを詳細に書き記す。

1つ目（外側）のスタンスから2つ目（内側）のスタンスにシフトすることで、自分自身の中でどのような変化に気づいたかを参加者に尋ねると、たいてい、次の2つが挙げられる。2つ目のエッセイでは、罪悪感や負担感が増すと感じる。同時に、自分が取れる行動の選択肢が増え、行動するエネルギーが高まったと考える。内側に立つことで、より大きな責任とより大きな主体性が生まれるのだ。

もう一つ、私たちがワークショップでよく行うシンプルで力強いアクティビティは、参加者に、グループ内で自分とは最も異なると思う人とペアを組んで、一緒に30分間の散歩をしてもらう「ペアウォーク」だ。最初にこれを行ったのは1998年のグアテマラだった。当時グアテマラは大量虐殺を伴う長い内戦を終わらせるための一連の和平協定に合意したばかりで、私はこれらの協定をどのように実施に移すかを検討するワークショップのファシリテーションを行った。

財団の役員であるヒューゴ・ベテタと、先住民の人権擁護運動家であるオティィリア・ルクス・デュ・コティが、一緒にペアウォークを行った。それぞれ政治的、経済的、社会的、文化的に（カナダと同様に）隔絶された2つの現実世界に出自を持つ、ありえないペアである。会議室で参加者の帰りを待っていると、ベテタが呆然とした様子で入ってきた。何があったのか尋ねた。「オティィリアがしてくれた高校の卒業式の話が、とても衝撃的でした。卒業する生徒の中で最高の成績を収め、国旗を持って壇上に上がる栄誉を与えられたのに、学校側は彼女が式典で民族衣装を着ることを許しませんでした。そこで彼女は、自分の功績を認めてもらうか、家族を怒らせ、自分自身も裏切るかの選択を迫られることになりました。私たちグアテマラ人が、大虐殺を生み出した人種差別と不平等を永続させる仕組みを、いかに日常的に構築してきたか、私は理解していませんでした」とベテタは答えた。ルクス・デュ・コティはベテタに、自分たちの状況が彼女の視点からどう見えるかを示し、ベテタはこの状況における自分の責任と、この状況を変えるために何をすべきかを認識した。その後、ルクス・デ・コティは文化相に、ベテタは財務相に就任し、グアテマラにおける先住民の包摂を高めるために協力し合うようになった。

このペアウォークはシンプルだが、参加者が、自分の状況への理解や他者との関係に最も大きな影響を与えたと言うアクティビティの一つである。なぜ、このシンプルなアクティビティが実を結ぶのか？

まず、ペアウォークはその仕組みからして効果的である。つながりたいという好奇心を持った2人が並んで前方へ歩き（歩けない人や歩きたくない人は並んで座り）、自然の中でリラックスしながら、一緒に世界を見る。書類も電話も何の邪魔も入らず、短い散歩の旅の間に生じるどんなことにも一緒に向き合い、ざっくばらんに話し合う。ワークショップという構造化された状況の中で、人間的なレベルで対等につながり、それぞれの視点を共有する機会になるのだ。

この体験は、深遠な変化をもたらしうるものだ。長年にわたってこのペアウォークに参加したほとんどの人が、ベテタと同じように、何の共通点もないと思っていたパートナーの目を通して世界を見ることに驚き、影響を受けたと言う。
ポッシブル・メキシコのワークショップでこの活動に参加したカトリック神学者のルシラ・セルヴィチェは、なぜこのアクティビティが効果的なのかについて、より深く説明をしてくれた。ペアウォークで個人的な公式ではない話をすることは、お互いを受容することにつながり、そして、この受容されているという感覚によって、参加者は自分の考えや行動を変えることができる。だからこそインパクトがあるのだと。まず受容されて、それから自分の立場を考え直すという順序は、カトリックの伝統的な告解とは逆のものだ。カトリックの場合は、告白して、それから赦される。ペアウォークは、「神の恵み」のようなものであると彼女は言う。無条件で愛を受けることができるからだ。私の同僚であるブレンナ・アトニコフは、マニトバでの活動において、カナダ先住民のパートナーたちがこのような恵みを示してくれたおかげで、私たちは必要とされることをよりスムーズに行うことができたと語っている。

*

人が自分のやっていることを変える最も強力なきっかけは、状況を別の視点から見ることよりも、自分自身を別の視点から見ることである。このような自己認識の転換は、しばしば、不安にさせるような対立や挑戦、自分が思っていたほどの人間ではないことが示されることによってもたらされる。トランスジェンダーの女性を面接した会社の会長と対峙したポッシブル・メキシコの銀行家の話では、会長は、その組織のリーダーである自分がやっていることに気づいて恥ずかしく思い、それが自分自身を変えようとする動機となったのだ。ほとんどの人は、自分のしていることが不公正だとわかったとき、つまり、争いから一歩引いてバルコニーに上がり、起きていることの全体像とその中での自分の役割を見ることができたとき、変わらなければならないという責任を感じる。参加者に「この状況において、私の役割と責任は何か」と内省的な問いを自問するよう促すことが、自分の行いを変えることを誘発し奮い立たせる。このようなアプローチによって、外や上から強制されるのではなく、内側から自主的に、変容することができる。

2017年のコロンビアでのワークショップで、フランシスコ・デ・ルーは、自分の役割と責任を突きつけられたときの話をしてくれた。市民を拘束しているゲリラ部隊のリーダーと交渉するためにジャングルに入ったときのことだ。彼はいつものように、こんな会話を始めた。「なぜ、こんなことをするのか私には理解できません。しかし、あなた方も私と同じように、国のためを思ってやっているのだと想定しましょう。このことについて倫理的にどう折り合いをつければよいでしょうか？」と。私は、このデ・ルーの立場を、「私はこの状況に関与していないが、あなたが正しいことをするのを助けたい」というように、敬意を払いながらも、離れたものと受け取った。これに対してゲリラは「あなた方イエズス会は何世代にもわたって、エリートたちを教育する大学の運営に携わってきたのではないのか？　ならば、そのエリートたちがこの国でやってきたことにあなたも責任があるのではないか?」と問うたのだ。この予想外の問いかけに、デ・ルーは、自分が取り組んでいる問題の絡み合う状況の一端を担っていること、したがって、仲裁人としての仕事では、周縁化された側の参加者だけでなく、(私たちのワークショップで彼が行っていたように)特権を有している側の参加者とも関わる必要があることを認識させせられたという。

外と内の立ち位置を組み合わせるポイントはパートナーとなること

「ハムオムレツには、ニワトリは関与(卵を提供する)しているが、ブタはコミット(自らの肉を捧げる)している」ということわざがある。コラボレーションの中で、自分の役割はニワトリにすぎないと主張するファシリテーターは、単なるアドバイザー、ヘルパー、コンサルタントだ。責任や説明責任が限定的になるぶん、影響力も限定的となる。より大きな影響力を持とうとする者は、ニワトリであると同時にブタでなければならない。

前の4つの章で説明した4対の動きのように、外側に立つことと内側に立つことは選択ではなく極性であり、両方の立場を保持することは、認識できても解決できないパラドックス(神秘)を受け入れることである。心理学者のロバート・ジョンソンは、このような和解をもたらす手段として、中世キリスト教の「マンドルラ」のイメージを提示している。

マンドルラとは、2つの円が部分的に重なり合ったときにできるアーモンド形のセグメントのことである。このシンボルは、私たちがこれまで調べてきた相反するものの重なりを意味しているにほかならない。マンドルラは、私たちに和解の方法を教えてくれる。それは、分裂の治癒が始まったときの形である。一般的に、重なりは最初非常に小さく、新月の一片に過ぎないが、それは始まりである。時間が経つにつれて、重なりが大きくなればなるほど、癒やしはより大きく、より完全なものになる。マンドルラは、引き裂かれ、全体でなくなったものを結合するのである。[5]

私たちは、両極に対してより意識を向けて存在し、両極が自ずと重なり合い、その分離を癒やすことを待つことで、「離れている」ことと「一部である」ことの両方でいることを徐々に学ぶことができる。

この和解のために必要な姿勢が**パートナーとなる**ことだ。私はドロシーと結婚して30年になるが、それが最も長いパートナーとしての経験である。結婚することで、パートナーはより完全につながって1つになり、同時にそれぞれがより完全に自身となって2つになる機会を得ることができる。つまり1つでありながら分離した2つの存在になるのだ。私はそれと同じ期間、レオス社とその前身となる会社（その多くの期間、法的な意味でもパートナーシップを持っていた）の一角を担ってきたゆえに、パートナーシップがいかに機会と義務を生み出すかを知っている。コラボレーションがすべてそのように深く長いコミットメントを必要とするわけではない。マニトバのチームとの仕事は、わずか1年半だった。

変容型ファシリテーションでは、ファシリテーターと参加者は、バルコニーに上がって**外側に立つ**ことと、**内側に立つ**ことで、現状の成り立ちへの責任と、その責任が現状に対して自分が何をすべきだと意味するかについての責任を負うことの間を循環して行き来する。そのために必要なのが、**パートナーとなる**ことだ。

結論

愛、力、正義に対する障害を取り除く

Removing the Obstacles to Love, Power, and Justice

変容型ファシリテーションは、問題の絡み合う状況に直面している人々が、その状況を変容させるために協働するのを支援する。コラボレーションは、一方的な強制、適応、離脱に代わる、極めて重要で多面的な選択肢を提供する。

これまでの章で伝えてきたストーリーは、変容型ファシリテーションが、いかにグループが行き詰まりからフローへとブレイクスルーを起こし、それによって共に前に進むことを支援できるのかについて説明するものだ。**進む**とは、単に話すだけでなく、行動することでもある。**前に**とは、単に現状を再生産するのではなく、物事をより良くすることだ。そして、**共に**とは、それぞれのやり方だけでなく、ある程度方向性の合致《アライメント》をもって行動することである。

そのため、変容型ファシリテーションは、グループが特定の状況に対処するのを支援するだけでなく、より大きな可能性を提供する。そして、「押しつけ」と「分裂」という双子の危険から逃れる方法も提供する。変容型ファシリテーションは、より良い世界の創り方を示すものである。

変容型ファシリテーションは、問題の絡み合う状況を変容させる

私は、自分たちの組織の内部や組織が世界で行う業務の中で、日常的な課題や対立に対処しているグループの取り組みが、行き詰まりからフローへとブレイクスルーを起こすのを何度も

目にしてきた。また、社会的な課題や対立に対処している組織横断的なグループの取り組みでも、しばしばこの現象を目の当たりにしてきた。こうした経験から、私は変容型ファシリテーションを行う前と後の姿がはっきりと見えるようになってきた。

2019年11月、私は行き詰まりの「変容前」の姿をはっきりと見た。ハイチの首都、ポルトープランスに到着したばかりだった。地元の実業家であるジャン・ポール・フォービアンが空港に迎えに来てホテルまで送ってくれた。私たちとほかの人々が組織している全国規模のコラボレーションについて、1週間のミーティングを始めることになっていた。この都市は、ひどい汚職と暴力に対する抗議行動によって6カ月間封鎖されていた——多くの国で起こっている状況の極端な姿である。ハイチ・クレオール語では、この行き詰まった状況を**peyi lok**（ペイロク：国の閉鎖）と呼んだ。

1時間のドライブの間に恐ろしい光景を見た。何度も何度も、目の前の道路がデモ隊やバリケードや燃えるゴミで塞がれていたのだ。たびたび車を停め、デモ隊に尋ねたり、電話でセキュリティ・アドバイザーに尋ねながら、前に進むための新しい道を探さなければならなかった。ようやくホテルにたどり着き、そこで直ちに、この状況を変容させたいと願う人たちと、思慮深く、温かく、精力的な一連の会話を始めた（その後、この人たちはほかの人たちも巻き込み、さらに大きくなったこのグループが、第9章で述べたワークショップも含め、協働して国家の変革を成し遂げたのだ）。

これは、すべての変容型ファシリテーションの出発点である。グループが、自分たちが直面している状況が問題の絡み合っているものだと気づく。彼らやほかの人々は、強制、適応、離脱によってそれに対処しようとしてきたが、これらの選択肢が不適切で、行き詰まりを生み出してきたことを思い知る。彼らは、前に進むより良い方法を見つけるために協働を望むのだ。

＊

2018年2月、メキシコで、フロー状態になったグループの明確な「変容後」の姿を目にした（グループが行き詰まり始めてから半年後のことだ）。ポッシブル・メキシコのチームは、一日中、議論したり笑ったりしながら、順調に取り組みを進めていた。ファシリテーターの一人は畏敬の念に打たれ、「これぞ地上の楽園だ！」と言った。夕食の席で、参加者のルシラ・セルヴィチェと私は、自分たちが目の当たりにしているのは、このような気高い表現に値するものかもしれないと話した。「誰もが自分のすべてをその取り組みに注ぎ込み、同じ人間として受け入れられ、誰も一人ではなしえない価値あることを共に行うことに参画できている」と。

その日は、進歩の甘美なひとときだった。前後には、行き詰まった苦いときもあった。多様性を持つチームが問題の絡み合う状況に取り組むために協働することには、常に浮き沈みが伴うものだ。しかし、この「地上の楽園」の経験は、理論上だけでなく実践上も、共に前に進むことは可能であることを証明した。たとえその動きが必ずしも容易ではなくても、プログラム化ができなくても、不十分であっても、可能なのである。このような文脈での成功は決して保証されているわけではないが、変容型ファシリテーションはその可能性を高めてくれるのだ。

変容型ファシリテーションは、愛、力、正義を用いる

ポッシブル・メキシコの参加者たちは、自分たちのプロジェクトをより良い国の「生きた手本」と呼んでいる。そこかしこで、手ごわい課題が非常に多く、対応の効果が出ない最中で、この手本を提供することは、より良い未来を創造するための極めて重要な貢献の一つであった。この事例や本書で紹介したほかの事例では、ファシリテーション・チームが、貢献、つながり、平等に対する障害を取り除くことによって、グループが行き詰まりからフローへと移行するのを支援した。

しかし、変容型ファシリテーションの中核的な戦略をもっと根本的に幅広く表現するならば、人々が「愛」、「力」、「正義」を用いることへの障害を取り除くことを助けることだ。この表現は、ファシリテーションによる変化に関する私の以前の著書の中で、欠落していた表現を追加し、修正したものである。以前の著書では、最初の2つの要素である愛と力だけに焦点を当てていた。[1] 第3の要素である正義は、ファシリテーションが単に現状を調整するだけでなく、組織的な変容を引き起こすことを目的とする場合に必要な要素である。

愛、力、正義は、政治的、哲学的、道徳的に重い意味を持つ言葉だ。これらの言葉はさまざまな形で使われるため、大きな負担となる。それでも、私がこれらの言葉を使うのは、明確に定義すれば、変容型ファシリテーションを理解し、活用するための深遠かつ正確な方法を提供できるからだ。

愛とは、コラボレーションにおいて、参加者同士や参加者とその状況とのつながりとして現れる統一への衝動である。力とは、自己実現への衝動であり、協働する取り組みや自分たちの状況に対する参加者の貢献として現れる。正義とは、愛と力を実現し、方向づける構造であり、グループ内の平等、彼らの取り組みを通じた平等、状況における平等として現れるものである。

＊

参加者が「愛とつながり」、「力と貢献」、そして「正義と平等」を実現する支援を行うということが、実際にファシリテーターにとってどういうことなのかを理解するために、ファシリテーターがそれらを損なってしまう日常的な例――構造的な障害を取り除くどころか生み出してしまう例――と、それらをできるようにするためのプロセスの例について考えてみよう。

ファシリテーターが、**愛とつながり**を妨げるのは、プロセスをあまりにも形式的にまとめて、参加者たちが互いに、そしてより大きな状況に十分に関われる余地がほとんど残っていない場合である。新しいアイデアはたいてい新しいつながりから生まれるものであるゆえ、このようなとき、参加者たちは創造性が不十分だと訴えるだろう（「このプロセスでは何も新しいものは生まれない！」）。愛を可能にするプロセスのシンプルな典型例の一つが（第10章で説明したように）2人1組での「ペアウォーク」である。ペアウォークでは、2人の人が人間同士でつながり、取り組む状況で自分たちがどのような役割を果たしているかを省察する。また、付箋紙に書き出したアイデアをグループ化することでも、それぞれが、自分のアイデアがほかの人のアイデアとどう関連しているかを確認することができる。

ファシリテーターが、**力と貢献**を損ね、妨げるのは、参加者が自身の考えを表明できないほど窮屈にプロセスをまとめている場合だ。このようなとき、参加者は自分たちが取り組みに思う存分参加することを妨げられていると不満を漏らすだろう（「私たちを軽視している！」）。力を可能にするプロセスの一例が、「オープン・スペース・テクノロジー（OST）」だ。OSTでは、参加者がそれぞれ最もエネルギーを発揮できるワーキンググループを自分で選ぶことで、このプロセスが促進される。すべてのことに全員が取り組むという、力を奪うプロセスではなく、自分にとって重要なことに集中的に取り組む機会が提供されるのである。もう一つの例は、「相互コーチング」だ。参加者は交代で互いに助け合うことで、関与している行動計画をより効果的に実施する方法を見つけることができる。

ファシリテーターが**正義と平等**を妨げるのは、一部の参加者の力がほかの参加者の力に対して優位に立つような形でプロセスを進めている場合である。このようなとき、参加者は自分が不公平に扱われていると不満を漏らすだろう。より大きなシステムで起きている不公平が映し出されていることが多い。(「ボスをひいきにしている!」)。正義を実現するプロセスの一例は、普段は無視されたり疎外されたりしている人たちを意図的に参加者に加えてコラボレーションを構築することだ。もう一つの例は、参加者とファシリテーターが、自分たちのグループのダイナミクスがいかに大きなシステムの中で不正義を再生産しているかに注意を払い、話し合うことだ。そうして、そのダイナミクスを変えると、すべての参加者が平等に貢献し、つながることを可能にする機会を持てる。

＊

変容型ファシリテーションは、この3つの生成的な衝動のすべてを噛み合わせることによって、人々が共に前に進むことを可能にする(この**「共に」「前に」「進む」**という3つの言葉は、それぞれ「愛」「正義」「力」の衝動に対応している)。これまでの章で取り上げてきた垂直型と水平型の極性と同じように、愛、力、正義も、常に創造的緊張の中にある。私はこの緊張を、クライアントのグループでファシリテーションをするときだけでなく、レオス・パートナーズでマネジャーとしてファシリテーションをするときにも体験している。組織の中でも私は、(自分自身を含む)**それぞれの才能と成長に取り組む**方法を、そして、**人々がチームとして協働すると同時に組織をもっと公正にする**ことを支援する方法を、見いださねばならないのだ。

力、愛、正義の衝動は、本で読んだり、リラックスした環境で取り組んだりしていると、実行し、バランスをとるのはたやすいことに思えるかもしれない。しかし、複雑性が高く、統制があまりとれていない状態での緊張とストレスの下では、ほとんどの人が自分のコンフォート・ゾーンに収縮し、3つの衝動のうちの1つか2つを優先する。ファシリテーターは、バランスを取り戻すこと、特に自分自身のより弱い衝動を強化することに常に気を配らなくてはならない。

これが変容型ファシリテーションの「タンゴ」である。ファシリテーターと参加者は、5つの対の動きと5つのシフトを注意深く用いる。必要とするときに必要に応じて、垂直型と水平型、全体と部分、力と愛の間を行き来しながら、交互に速度を緩めたり速めたり、バランスをとったり崩したりしていくのだ。貢献し成長するときに力を用いる。つながり、統一するときに、愛を用いる。そして、その動きに目的、方向性、構造を与えるために、正義を用いる。

変容型ファシリテーションは、愛、力、正義という3つからなる変容の可能性を具現化する。これが、フランシスコ・デ・ルーがワークショップの様子を観察して「あなたは神秘の出現に対する障害を取り除いている！」と述べ、私に示唆してくれたことなのだと思う。

愛とは、切り離されたものを統一しようとする衝動である

私の最初の著書『手ごわい問題は、対話で解決する』では、第10章で触れた1998年のグアテマラでのワークショップにおける1分間の沈黙のストーリーを紹介した。[2] 1960年からグアテマラの右翼政府は、左翼の反政府勢力と内戦を繰り広げていた。この戦争に関する国際連合主催の調査は、政府が先住民族コミュニティを意図的かつ組織的に破壊したことが大量虐殺にあたると結論づけた。1996年、戦争当事者たちは一連の和平協定に調印した。私がファシリテーションをしたワークショップは、和平協定を履行するための道筋を開拓するために、グアテマラ社会の深い溝をまたがったリーダーたち――閣僚、軍やゲリラの元指揮官、実業家、ジャーナリスト、若者、先住民など――を集めたプロジェクトの第一歩だった。

ワークショップの参加者たちは内戦では異なる陣営にいたため、会場は疑心暗鬼に満ちていた。ある朝、輪になってストーリーテリングを行っていたとき、カトリック教会の人権調査担当者であるロナルド・オチャエタが、内戦中の大虐殺による犠牲者の共同墓所の発掘調査を視察するために、ある先住民の村に行ったときの経験を語った。墓から土が取り除かれたとき、オチャエタは、多くの小さな骨があることに気づき、発掘調査を監督する法医学者に当時何が起こっていたのか尋ねた。法医学者は、虐殺された人の中には妊婦もいて、小さな骨はその胎児のものだと答えた。

ワークショップでオチャエタがこの話をした後、会場は長い間、完全に静まり返った。そして、チームは休憩を入れた後、ワークを続けた。その後数年間、彼らは多くの国家のイニシアチブで協働した。4回の大統領選挙運動、歴史解明委員会、財政協定委員会、和平協定監視委員会への貢献、地方自治体開発戦略、全国貧困撲滅戦略、新しい大学教育カリキュラムへの取り組み、派生的に生まれた6つの国民対話などである。

2000年、マサチューセッツ工科大学のカトリン・コイファーが率いる研究プロジェクトがこのチームに聞き取り調査を行ったとき、いかにこのチームが触発を受けて協働して多くのことを成し遂げたかを説明する上で、数名のメンバーがこの長い沈黙について言及した。そのうちの一人はこう話した。「語っているとき、オチャエタ氏は誠実で、穏やかで、声には憎しみのかけらもありませんでした。そして沈黙が訪れます。その沈黙は、少なくとも1分間は続いたのではないでしょうか。恐ろしかったですよ！　誰もが心を揺さぶられる体験でした。きっと私たちの誰もが、あの瞬間は大きな聖体拝領のようでもあったと話すことでしょう」。こう話す人もいた。「オチャエタ氏のストーリーを聞いた後、実際に起きたことの全貌を心から理解し、実感しました。そして、こうしたことが再び起こるのを防ぐために、私たちは懸命に努力しなければならないという気持ちになりました」[3]。オチャエタのストーリーによって、チームは互いに深くつながり、自分たちの状況と自分たちのすべきこととも深くつながることができたのだ。

グアテマラでのこの出来事に感銘を受けた私は、この出来事を中心として初期のファシリテーションの理論化を行った。私は、オチャエタのストーリーの後に続いた沈黙を、単につながりだけでなく、精神的な親交や愛の典型的な例として解釈し「切り離されているものを統一しようとする衝動」という、プロテスタントの神学者パウル・ティリッヒが示した愛の定義を用いた。[4] この意味での愛は、単につながろうとするだけでなく、バラバラになっているもの、あるいはそう見えるものを一つにしようとする普遍的な衝動である。用いることができた愛の定義はたくさんあったが、私がこの愛の定義を採用したのは、グアテマラやほかの場所で経験してきたことが正確に表現されていたからだ。変容型ファシリテーションは、統一して行動する（もっと正確に言えば、ずっと存在していたが覆い隠れていた統一性を具現化する）ために、参加者と彼らが代表するシステムの部分を結びつけるものだということである。

グアテマラでのワークショップでは、愛は、激しく引き裂かれた社会という織物を編み直そうとするリーダーたちの衝動であった。日常的なコラボレーションでは、愛とは、チームのメンバーが、バラバラになったり食い違ったりするのではなく、協働し方向性の合致《アライメント》を持って取り組もうとする衝動である。変容型ファシリテーションは、愛に対する障害を取り除く。

ファシリテーターがグループの取り組みの中で、愛に対する障害を取り除くのを支援できるようになるためには、自分自身の中の愛に対する障害を取り除けるようになることが必要だ。私は、分離したものを統一しようとするこの衝動を、より大きな全体の中で自分の役割を見いだしたいという切なる願いとして感じる。だからこそ、モン・フルーでの経験によって、扉が音を立てて開いたような感覚を覚えたのである。私がモン・フルーで経験したのは、自分の才能を活かせる天職を見つけたこと、南アフリカの重大な変容の一翼を担ったこと、参加者と温かいつながりを持てたこと、そしてドロシーに出会えたことであった。この経験と、グアテマラでの沈黙の経験も含めたその後の経験によって、私は他者がオープンになることをサポートするためには、自分自身がオープンになることが重要なのだと強く認識した。ファシリテーターとしての私の態度は、通常は控えめで分析的だが、グループにとって最も役に立ったのは、自分の感情（興奮、感動、心配）を表に出したときや、リラックスして取り組んだ（フローの中で動く、冗談を言う、沈黙や歌の時間を作る）ときが多かった。ファシリテーターは、参加者がつながるのをサポートできるようになるために、つながらなくてはならないのだ。

力とは、自己実現の衝動である

私が友人となったグアテマラ・チームのメンバーの一人であるクララ・アレナスは、戦時中、消滅の危機に瀕したコミュニティを支援するために勇気ある行動をとった研究者であり活動家であった。最初のワークショップから10年後の２００８年、グアテマラシティに彼女を訪ねたとき、彼女は私が執筆活動で重視していた対話、統一、愛に対して疑問を投げかけた。彼女は私にこう尋ねてきたのだ。「先週、私が属する市民社会組織の連合が、政府との対話にはもう参加しないと、地元の主要紙に全面広告を出したことを知っていますか？　政府は、私たちが対話に参加するための前提条件として、街頭での行進やデモを控えるように言っているのです。しかし、これらの行動は、私たちが力を結集し、発揮する中心的な手段であり、私たちの力の放棄が求められるような対話には、興味はありません」

アレナスとのこの会話をきっかけに、私は理論を拡大し、愛だけでなく、力も考慮に入れることにした。ここでもまた、ティリッヒのフレームワークが、私が理解しようとしている現象を的確に表現していることに気づいた。ティリッヒは、力を「生けるものすべてが、次第に激しく、次第に広く、自己を実現しようとする衝動」と定義している。[5] つまり、この意味での力とは、単に貢献しようとするだけでなく、自分の目的を達成し、成長しようとする普遍的な衝動なのである。ファシリテーションは、参加者が団結するだけでなく、参加者たちがニーズを表現し、そのニーズを満たすために前進する道筋を見いだす支援をすることも含まなければならない。

アレナスのストーリーでは、力とは、政府と市民社会組織の両方が自分たちの利益を主張し、守ろうとする衝動のことであった。日常的なコラボレーションにおいては、力とは、チームのメンバー全員が自分の意図や強い願いを実現するために行動しようとする衝動である。変容型ファシリテーションは、そうした力に対する障害を取り除く。

こうして、私の第2作『未来を変えるためにほんとうに必要なこと』の3つのテーマは、次のようなものになった。第1に、力は、つながりと愛を否定する（部分はより大きな全体を無視する）形で用いられると、退行的な「させる力《パワーオーバー》」になる。例えばカップルの場合、愛を否定する力は、自分の仕事やキャリアに集中するあまり、パートナーとのつながりをおろそかにする人という形で現れる。組織では、組織のウェルビーイングへの影響を無視して目的を達成しようと行動する人や、周囲のセクターやコミュニティ、環境のウェルビーイングへの影響を無視して目的を達成しようと行動する組織などがそうである。水平型ファシリテーションは、グループの統一よりもグループの個々のメンバーの自己実現を優先させるため、愛を否定する力を優遇する（**力**という言葉が持つ一般的な抑圧的な意味合いからは意外に聞こえるかもしれないが、この表現はティリッヒの定義から導かれたものである）。

第2に、愛は、主体性と力を否定する（全体が構成部分を無視する）形で用いられると、徐々に退行的な「転落する愛」（力を消耗し、恋人が立ち上がれなくなる愛）となる。例えばカップルの場合、力を否定する愛は、パートナーシップの成長と幸福を重視するあまり、パートナーと、特に自分自身の成長と幸福をないがしろにする人（「あなたなしでは生きられない」というラブソングのように）という形で現れる。会社で言えば、倒産を防ぐための解雇である。垂直型ファシリテーションは、グループのメンバー個人の自己実現よりも、グループの自己実現と統一を優先するため、力を否定する愛を優遇する。（これもまた、**愛**という言葉の持つ一般的なロマンチックな意味合いから、意外に聞こえるかもしれない）。これらの例では、退行的な愛は、全体の優先度を部分へと強制するために「させる力」を用いている（「より大きな便益のためにあなたを傷つけている」）。

そして第3に、力と愛は共に用いられる場合に限り、生成的な「共に進む力」と「高め合う愛」となる。カップルの場合では、自己実現しているパートナーシップとしてより完全な1つのカップルになると同時に、双方がそれぞれ自己実現している個人としてより完全な2人の個人になることである。組織の場合は、より小さい全体（従業員たち）と、より大きい全体（組織）と、さらに大きな全体（セクター、コミュニティ、環境）の便益のバランスをとることである。このようなバランスをとることは一筋縄ではいかない。

私の拡大した理論においては、力と愛を共に用いることによって、より大きな全体とより小さな構成要素の全体の自己実現を相互に強化する変容型ファシリテーションが生まれる。愛と力の両極の間のバランスに静的な位置はない。垂直型と水平型の両極のバランスをとるような動的なバランスには、私たちが二足歩行をするときのように前後に動く必要があるのだ。

ティリッヒの神学を博士論文にした米国の公民権運動の指導者マーティン・ルーサー・キング・ジュニアは、暗殺される8カ月前に南部キリスト教指導者会議（SCLC）で行った最後の議長演説で、この責務について表明した。

力は、適切に理解されるならば、目的を達成する能力にほかなりません。それは社会的・政治的・経済的変革を起こすのに必要な強さです……歴史上の大問題の一つは、愛と力の概念が、たいていは相反するもの、対極にあるものとして対比させられてきたことです。その結果、愛は力の断念と同一視され、力は愛の否定と同一視されています……今こそ、この誤りを正さなければなりません。私たちが理解しなければならないのは、愛なき力は無謀で乱用をきたすものであり、力なき愛は感傷的で実行力に乏しいものだ、ということです……現代の深刻な危機を生み出しているのは、まさにこの道徳なき力と力なき道徳の衝突なのです。[6]

ファシリテーターがグループの取り組みで力に対する障害を取り除くための支援ができるようになるためには、ファシリテーター自身の中の力に対する障害を取り除けるようになることが必要だ。私は普段から自己実現の衝動を心地よく感じている。特権と男性性に関する私自身の経験がこの志向を支えてきた。私の自己実現の衝動は、一緒に取り組むグループのために奉仕する上で、自分の才能を開拓し、活用する上で大いに役立っている。ファシリテーターとしての私の進化は、自分の強い方の衝動（力）を弱めることではなく、弱い方の衝動（愛）を強めることによって、私の力と私の愛の両方を使えるようになってきていることだ。ファシリテーターは、取り組みに対して全力の貢献と最大限のつながりの両方を捧げなければならない。

そうすることによって、参加者たちも同じことができるようにサポートできる。

正義とは、愛と力を可能にする構造である

『未来を変えるためにほんとうに必要なこと』が出版された後も、私は自分の理論には何か非常に重要なものが欠けているのではないかという思いを拭い切れずにいた。同書の原稿をアレナスに送ってみると、彼女は返事をくれた。「力と愛のバランスというあなたのビジョンには、全員が満足しながら物事は改善されうるという、ある種のナイーブさが感じられます。そんなことが実現できるのでしょうか？　グアテマラのように、大きな不均衡や不平等がある文脈で、社会の一部のセクター（もちろん権力者）が大きな不満を持たずに、どうやって貧困を根絶させることができるのですか？　影響を受けるのは、彼らの経済的利益でしょう。論文の世界なら、バランスやすべての人の満足は可能でしょうが、途方もない不平等という文脈において『現実の』政治に踏み込むとそうはいきません」。オランダのセミナーでこの本を紹介したとき、労働組合員で学者のジェレミー・バスキンは、私の理論には目的論がない、つまり社会変化のプロセスがどのように目的に向かっているのか、あるいはそれがどのように目的によって形成されるのかが説明されていないと指摘した。

私は、自分が見落としていたものは正義に関係があるのではと考えた。参考にしたティリッ

ヒの本のタイトルは「愛、力、正義」（『ティリッヒ著作集 第9巻 存在と意味』収録、大木英夫訳、白水社、1978年）だったからだ。しかし、ティリッヒとキングによるアパルトヘイトの抑圧からの移行について書いたものに何度も立ち戻っても、モン・フルー・チームによるアパルトヘイトの抑圧からの移行を実現する方法の模索をはじめとしたプロジェクトの多くにおいて正義の探求が中核にあることがわかっていても、それが私のファシリテーション論にとって何を意味するのかわからなかった。

長い間、疑問を抱えていると、答えは最初からずっと目の前にあったことに気づくことがある。この場合も、2010年のタイでの別の厄介な経験について熟考しているうちに、ヒントが見つかった。反政府勢力と親政府勢力の間で政治的対立が続き、バンコクの街頭では激しい衝突が起きており、私と同僚たちはこの対立に対処するために、プロジェクトを始動した。プロジェクトの主催者は、政界、ビジネス界、軍部、メディア、貴族、市民社会など、さまざまなステークホルダーのリーダーたちとの一連の対話を設け、私たちは丸3日間、窓のない明るいホテルの会議室で、こうしたリーダーたちと次々に会っていった。

当時、私に馴染みの薄い文脈と文化におけるこの複雑な対立について、強い意志を持ったリーダーたちそれぞれの見解を聞くというこの経験に、私は当惑していた。しかし、後になって気づいたのは、俯瞰してみると、私たちが聞いていたことは単純なことであった。一人ひとりが、自分たちは正しく、相手は間違っている、さらに突っ込んで言えば、自分たちは不当に扱われていて、不正義の犠牲者なのだと、私たちを説得して味方につけようとしていたのである。さらに、一人ひとりが私たちに会いにホテルにやって来たのは、現状はタイがなりうる、あるいはなるべきよい状態ではないと考えており、もっとタイをよくすることに貢献したいと思っていたからだった。誰もがそれぞれの視点で、正義を求めていたのである。

私は、この正義を強く求める思いが、変容型ファシリテーションの実践に必要な第3の普遍的な衝動であると理解するようになった。ほとんどのコラボレーションで、参加者の大半は、何よりも、自分たちの属するシステムがより公平で、敬意があり、包摂的で、平等で、公正になる必要があると主張する。人によって、正義と不正義に関する経験が根本的に異なり、これらの現象に対する考え方（タイの事例のように、これらの考え方は、今起きていることは、**私**が不当に扱われているのだと自分勝手に考えることが多い）もそれぞれ異なるにもかかわらず、ほとんどの人は、重要な目的として正義を訴える。

人々は一般的に、正義は2つのレベルで必須であると、主張する。自分たちのコラボレーションの目的（組織やコミュニティや社会で、より公正なシステムを協働してつくり出すこと）と、コラボレーションの手段（協働するためのより公正なプロセス）において必要だと主張するのだ。2つが共通しているからといって、愛や力に比して、正義を実現するのは簡単に、スパッといくものであるわけではない。ただ、明示的であれ黙示的であれ、広く認識されているぶん、正義はコラボレーションに方向性や目的を提供する。

正義の衝動の重要性についてのこの洞察は、私を再びティリッヒのフレームワークに引き戻した。ティリッヒは正義を「その中で力が自ずと活性化し……それを通して愛は自ずと役目を果たす構造」であると定義した。[7] この意味で、不正義は、単に不公平なだけでなく、あらゆる存在が自らを実現する（生き、成長する）ための本質的な要求が拒否されるような構造や慣習の中で生じるということだ。一部の人たちの「する力《パワートゥ》」が他の人たちの「する力」を抑圧することが許されるときに不正義が起こる。このような不正義の顕著な例を2つ挙げよう。ミネアポリスの警察官デレク・ショーヴィンがジョージ・フロイドの首を膝で押さえつけることを可能にした米国の刑事司法制度と、パンデミック時に社会から疎外された人々の死亡率を高めた医療制度だ。このほかに組織での例としては、女性やマイノリティ、下層階級の従業員が貢献し、つながる機会を少なくするような、明文化された規則および明文化されていない規則の中に現れるものも不正義だ。

したがって、ファシリテーターは、参加者が愛と力だけでなく、正義も活用できるように支援しなければならない。先に述べたハイチ、メキシコ、グアテマラ、タイのプロセスにおいて、正義は、これらのプロセスが開始された原因である、問題の絡み合う状況に対処するための取り組みの目的であり、また原則でもあった。日常的なコラボレーションでも、正義は特定の問題の絡み合う状況を改善するための取り組みの目的でもあり、構造でもある。正義とは、より高い目的に向かって愛と力を十分に活用できるように、構造的な障害を取り除く実践なのである。

ファシリテーターがグループの取り組みで正義に対する障害を取り除くのを支援できるようになるには、ファシリテーターが自分自身の中で正義に対する障害を取り除けるようになることが必要だ。私は、ファシリテーターとしての自分の責任の一部は、参加者が平等な形で貢献し、つながりを持てるように支援することだと理解している。しかし、私の持つ特権に恵まれた人生――不正義を味わった経験がないこと――のために、性差別、人種差別、階級差別などの不正義が、私が関わるグループの貢献やつながりを歪めていることに気づけないことがある。パレスチナ人のファシリテーターのズグビーがかつて「安穏とした者を苦しめ、苦しむ者を慰めよ」と教えてくれた。こうした同僚たちの助けによって、気づきや、状況に応じた行動をとれるようになってきた。ファシリテーターは、自分自身の実践に正義を取り入れなければならない。そうすることで、参加者たちが同じことができるようにサポートすることが可能になるのだ。

私たちの仕事における正義の位置づけについて、南アフリカで人種問題を扱う多くのプロセスでファシリテーションをし、関わってきた同僚のレベッカ・フリースと話したことがある。彼女は、正義とは「社会変革のプロセスを通じての舵取りの仕方（特権の不平等の度合いを意識し、平等な参加を追求し、自分自身と他者の怒りに進んで関与すること）に関するものと、社会変革への努力を向ける方向（より大きな正義への志向）に関するものの両方だ」と考えている。[8] 正義は、コラボレーションの手段にとっても目的にとっても重要な指針を提供している。正義の衝動がなければ、アレナスが私に警告したように、コラボレーションは単に不公正な現状を再生産することになりかねない。正義によって、コラボレーションはそのような妥協や行き詰まりを超越し、ブレイクスルーを起こすことができるのだ。

先ほど引用したキング牧師の演説は、後にこう続いている。「力の最たるものは正義の要求を実行する愛であり、正義の最たるものは愛に逆らうすべてのことを正す力なのです」[9]。キング牧師は、愛、力、正義はどれも社会変革を実現するために必要であると考えていた。私は、この3つすべてが、変容型ファシリテーションの可能性を実現するために必要だと考えている。

キング牧師は、「道徳的宇宙の弧は長いが、正義に向かって傾いている」とも主張した[10]。変容型ファシリテーションは、参加者とファシリテーターが、自分たちの間とより大きなシステム内で起きていることにおける自分たち自身が担う役割について、もっと深く認識し、責任をもって協働できるよう支援するものである。つまり、道徳的宇宙を正義の方向に傾けることに貢献する機会を提供するのだ。

変容型ファシリテーションは、より大きな可能性を提供する

あるグループで起きていることに注意を向けているとき、私は目の前にある愛、力、正義の具体的な詳細と、そして、愛、力、正義のより大きなパターンの両方を、そしてそれらがどの

ようにグループの進展を可能にしたり、不可能にしたりしているのかを観察している。同様に、世界中のさまざまな文脈での変容型ファシリテーションの実践に注意を向けるとき、私は、それぞれのグループ特有の問題の絡み合う状況を変容させるのに変容型ファシリテーションが貢献していることと、人々の断絶、脱力、不正義を生み出し、再生産しているシステムを変容させる方法としての変容型ファシリテーションのより大きな可能性の両方を観察しているのである。

私が一緒に取り組んでいるグループのほとんどは、大なり小なりそれぞれの領域で、より愛と力と正義のある世界を作ろうと、情熱を持って献身している。彼らは、強制ではうまくいかないことを知っているので、人々が共に前に進むことを支援しようとしている。これらのグループの中には、成功するものもあれば、そうでないものもある。こうした多くの取り組みは、**協働して進展することが可能である**ことを示している。それは一筋縄のことでも、容易なことでも、保証されることでもないが、実現することは可能なのだ。

変容型ファシリテーションは、愛、力、正義に対する障害を取り除くことによって、進展を可能にするものだ。2020年11月、本書を書き終えようとしていた私は、コロンビア人の神父フランシスコ・デ・ルーと再び話をした。3年前に私が「神秘の出現に対する障害を取り除いている」という洞察をし、本書を書き始めるきっかけをくれた人物だ。この3年間、デ・ルーは「真実・共存・不再戦を明確化するための委員会」の委員長として、社会において分極化と悪魔化が進む中、コロンビア人が共に前に進むための支援をしようとしていた。この会話をしているとき、彼は、多くの多様な人々の間で多くの会議を組織しながらも、なかなか前に進むことができず、消耗しているようでもあった。そしてこう言った。「同じ人間として、誠意をもって互いにオープンになることなくして、未来はありません。それ以外に方法はないのです」

互いにオープンになることでしか、愛と力と正義を実現することはできない。そして、愛と力と正義を持って取り組むことでしか、共に前に進むことはできない。より良い世界をつくるための方法は、これ以外にはないのである。

変容型ファシリテーションの全体像

A Map of Transformative Facilitation

第3章から第10章にかけて、変容型ファシリテーションの実践とは、グループが共に前に進むために、5つの内面のシフトによって可能となる、5対の外界での動きを、これらが必要なときに必要に応じて行うことだと説明した。次のページに掲載した表は、この実践の全体像をまとめたものである。

この表は、全体および5つの問いごとに、垂直型ファシリテーション（左側の3列）と水平型ファシリテーション（右側の3列）における典型的な答え、そのプラス面とマイナス面を示すものである。また、変容型ファシリテーションにおける外側の動きと内面のシフトが垂直型と水平型の間でどのように循環するかを示している（中央の3列）。

垂直型と水平型の間に変容型があるのは、以上の重要なポイントを示すためだ。ファシリテーターは、グループが垂直型・水平型ファシリテーションのプラス面を最大限に活かし、マイナス面を回避するために10の動きを用いる。第3章の図にあるように、ファシリテーターはこれを5対の対称的な動きの間で循環して行う。つまり、グループが一方の極のマイナス面に陥っているとき、ファシリテーターはグループが反対の極のプラス面に向かうよう促す動きを作るのだ。

ファシリテーターは、5つの内面のシフトを行うことで、これらの外側の動きのペアの間を流動的に循環させることができる。例えば、最初の問い「私たちの状況をどのようにとらえるか」に取り組む際、ファシリテーターは、垂直型の「正しい答えを私たちが持っている」のマイナス面（グループシンクと否認）を避けるために、探求を採用・奨励し、水平型の「それぞれ自分の答えがある」のマイナス面（不協和音と優柔不断）を避けるために主張を採用・奨励する。ファシリテーターは、オープンになることを通じて、探求と主張の間を循環することができる。

つまり、この表は、ファシリテーターがこれらの外側の動きや内面のシフトを行うことで、グループがプラス面（濃い影の部分）の真ん中の道をほぼ進み、周辺のマイナス面（薄い影の部分）にあまり長く迷い込まないようにすることを強調しているのだ。

変容型 ファシリテーション		水平型 ファシリテーション		
内面のシフト	垂直型に向かう外側の動き	プラス面	マイナス面	典型的な答え
注意を向ける	統一性の重視	自主性と選択の多彩さ	分裂と行き詰まり	「各部分の利益を重視しなければならない」
オープンになる	主張する	多様性と包摂	不協和音と優柔不断	「それぞれの答えがある」
見極める	結論を出す	現実主義	実体の欠如と分散	「それぞれが進み続ける必要がある」
適応する	予め道筋を描く	柔軟性	逸脱と分裂	「それぞれ進みながら自分のやり方を見つける」
奉仕する	指揮する	自発的な行動	分離と方向性の不合致	「それぞれが自分で決める」
パートナーとなる	外側に立つ	自己責任	近視眼	「それぞれが自身の振る舞いを正すことだ」

表：変容型ファシリテーションの全体像

コラボレーションに関する問い	典型的な答え	垂直型ファシリテーション マイナス面	プラス面	水平型に向かう外側の動き
全体について	「全体の利益を重視しなければならない」	硬直と支配	協調と団結	多面性の重視
1　私たちの状況をどのようにとらえるか？	「正しい答えを私たちが持っている」	グループシンクと否認	専門知識と決断力	探求する
2　成功をどのように定義するか？	「合意する必要がある」	達成不可能性と不十分さ	ゴールライン	先に進む
3　現在地から目的地までどのような道筋をとるか？	「何をすべきか私たちは知っている」	行き止まりと崖っぷち	明確な進路	発見する
4　誰が何をするかをどのように決めるか？	「リーダーが決める」	服従と不服従	権威と方向性の合致	伴走する
5　自分の役割をどのように理解するか？	「それを直すことだ」	冷淡さと放棄	客観性	内側に立つ

5. Tillich, Love, Power, and Justice, 36.
ティリッヒ「愛、力、正義」
6. Martin Luther King Jr., "Where Do We Go from Here?" in The Essential Martin Luther King, Jr., ed. Clayborne Carson (Boston: Beacon Press, 2013), 220–221.
The Essential Martin Luther King, Jr., ed. Clayborne Carson (Boston: Beacon Press, 2013), 220–221. に収録のマーティン・ルーサー・キング・ジュニアの「ここからどこへ行くのか」。クレイボーン・カーソンは、スタンフォード大学のマーティン・ルーサー・キング・ジュニア研究教育機関の創設所長である。
7. Tillich, Love, Power, and Justice, 56, 71.
ティリッヒ「愛、力、正義」
8. LeAnne Grillo, "Power, Love, and Justice: An Interview of Rebecca Freeth," Reos blog, https://reospartners.com/power-love-and-justice-an-interview-with-rebecca-freeth/2012.
9. King, "Where Do We Go?" 221.
キング「ここからどこへ行くのか」。発表されているこの演説のほかのバージョンでは、このフレーズは「正義の最たるものは愛に逆らうものをすべて正す愛なのです」とされているが、私は意味を成していないと思う。
10. Martin Luther King Jr., "Out of the Long Night," in The Gospel Messenger (Elgin, IL: Church of the Brethren, 1958), 3.

2. 次を参照。Melanie MacKinnon and Adam Kahane, “Braiding Indigenous and Settler Methodologies: Learnings from a First Nations Health Transformation Project in Manitoba,” Reos blog, December 13, 2019. https://reospartners.com/braiding-indigenous-and-settler-methodologies-learnings-from-a-first-nations-health-transformation-project-in-manitoba/.
3. Audre Lorde, “The Master’s Tools Will Never Dismantle the Master’s House,” in Sister Outsider: Essays and Speeches (Berkeley, CA: Crossing Press, 2007), 110–114.
Sister Outsider: Essays and Speeches (Berkeley, CA: Crossing Press, 2007), 110–114. に収録のオードリー・ロードの「主人の道具で主人の家を解体することは絶対にできない」
4. Ronald Heifetz and Marty Linsky, “A Survival Guide for Leaders, ”Harvard Business Review, June 2002. https://hbr.org/2002/06/a-survival-guide-for-leaders
ロナルド・ハイフェッツ、マーティ・リンスキー「会社を変えたい人のサバイバル・ガイド」『DIAMOND　ハーバード・ビジネス・レビュー――2002 年 9 月号』（ダイヤモンド・ハーバード・ビジネス・レビュー編集部訳、ダイヤモンド社、2002 年）https://www.dhbr.net/articles/-/1106
5. Robert Johnson, Owning Your Own Shadow: Understanding the Dark Side of the Psyche (New York: Harper One, 1993), 89.

結論　愛、力、正義に対する障害を取り除く

1. 次を参照。Adam Kahane, Power and Love: A Theory and Practice of Social Change (Oakland, CA: Berrett-Koehler, 2009).
アダム・カヘン『未来を変えるためにほんとうに必要なこと――最善の道を見出す技術』（由佐美加子監訳、東出顕子訳、英治出版、2010 年）
2. 次を参照。Adam Kahane, Solving Tough Problems: An Open Way of Talking, Listening, and Creating New Realities (Oakland, CA: Berrett-Koehler, 2004), 113–122.
アダム・カヘン『手ごわい問題は、対話で解決する――アパルトヘイトを解決に導いたファシリテーターの物語』（株式会社ヒューマンバリュー訳、ヒューマンバリュー、2008 年／ 2023 年に英治出版より新訳版発行予定）171-186 ページ。
3. Elena Díez Pinto, “Building Bridges of Trust: Visión Guatemala, 1998–2000,” in Learning Histories: Democratic Dialogue Regional Project, ed. Katrin Käufer. (New York: United Nations Development Programme Regional Bureau for Latin America and the Caribbean, 2004).
4. Paul Tillich, Love, Power, and Justice: Ontological Analyses and Ethical Applications (New York: Oxford University Press, 1954), 25.
パウル・ティリッヒ『ティリッヒ著作集 第 9 巻 存在と意味』に収録の「愛、力、正義」（大木英夫訳、白水社、1978 年）

2. Antonio Machado, "Caminante, no hay camino, se hace camino al andar," in "Proverbios y cantares XXIX," Campos de Castilla (Madrid: Editorial Poesia eres tu, 2006), 131.
3. Adam Kahane, "What Avengers: Infinity War Can Teach Us about Business," strategy+business, 98, December 10, 2019/Spring 2020. https://www.strategy-business.com/blog/What-Avengers-Infinity-War-can-teach-us-about-business?gko=d0b4b.
4. Dwight Eisenhower, The Papers of Dwight David Eisenhower, ed. Louis Galambos (Baltimore: Johns Hopkins University Press, 1984), 1516.
5. The Mystery of Picasso, written and directed by Henri-Georges Clouzot, film (1956; Paris: Filmsonor).（映画）
6. Glennifer Gillespie, "The Footprints of Mont Fleur: The Mont Fleur Scenario Project, South Africa, 1991–1992," in Learning Histories: Democratic Dialogue Regional Project, ed. Katrin Käufer. (New York: United Nations Development Programme Regional Bureau for Latin America and the Caribbean, 2004). http://reospartners.com/wp-content/uploads/old/Mont%20Fleur%20Learning%20History.pdf?
7. デイビッド・クリスリップは次の先駆的な教本を私に勧めてくれた。Michael Doyle and David Straus, How to Make Meetings Work! (New York: Berkley, 1993).
マイケル・ドイル、デイビッド・ストラウス『会議が絶対うまくいく法――ファシリテーター、問題解決、プレゼンテーションのコツ』（斎藤聖美訳、日本経済新聞社、2003 年）
次も参照。David Chrislip, The Collaborative Leadership Fieldbook (San Francisco: Jossey-Bass, 2002).

8. Henry Mintzberg, "Crafting Strategy," Harvard Business Review, July 1987. https://hbr.org/1987/07/crafting-strategy. ヘンリー・ミンツバーグ「戦略クラフティング」『DIAMOND　ハーバード・ビジネス・レビュー――2003 年 1 月号』（ダイヤモンド・ハーバード・ビジネス・レビュー編集部訳、ダイヤモンド社、2002 年）https://www.dhbr.net/articles/-/1061

第 9 章　誰が何をするかをどのように決めるか？

1. William J. O'Brien, Character at Work: Building Prosperity through the Practice of Virtue (Boston: Paulist Press, 2008), viii.

第 10 章　自分の役割をどのように理解するか？

1. Melanie MacKinnon et al., Wahbung: Our Tomorrows Imagined (Winnipeg: Assembly of Manitoba Chiefs, 2019), https://manitobachiefs.com/wp-content/uploads/Wahbung-Web-1-copy.Nov5_.pdf.

United Kingdom: Wiley, 1996). キース・ヴァン・デル・ハイデン『シナリオ・プランニング――「戦略的思考と意思決定」』(西村行功訳、株式会社グロービス監訳、ダイヤモンド社、1998 年)
8. Otto Scharmer, Theory U: Leading from the Future as It Emerges (Oakland: Berrett-Koehler, 2009) から改変。オットー・シャーマー『U 理論――過去や偏見にとらわれず、本当に必要な「変化」を生み出す技術』第二版(中土井僚、由佐美加子訳、英治出版、2017 年)
9. 次を参照。Per Kristiansen and Robert Rasmussen, Building a Better Business Using the Lego Serious Play Method (Chichester, United Kingdom: Wiley, 2014).
10. Carl Rogers, "A Theory of Therapy, Personality, and Interpersonal Relationships, as Developed in the Client-Centered Framework," in Psychology: A Study of a Science, vol. 3, ed. Sigmund Koch (New York, NY: McGraw-Hill, 1959), 209.

第７章　成功をどのように定義するか？

1. 次を参照。Susan Sweitzer, "Sustainable Food Lab Learning History Chapter 2," https://www.scribd.com/document/26436901/SFL-LH-Chapter-2-Public, 12, and the project website: sustainablefoodlab.org.
2. 次を参照。Adam Kahane, Transformative Scenario Planning: Working Together to Change the Future (Oakland: Berrett-Koehler, 2012), 79–90.
邦訳版では、アダム・カヘン『社会変革のシナリオ・プランニング――対立を乗り越え、ともに難題を解決する』(小田理一郎監訳、東出顕子訳、英治出版、2014 年)の第 8 章を参照。
3. "Siempre en búsqueda de la paz"(「常に平和を求めて」), October 7, 2016,es.presidencia.gov.co.
4. John Gottman and Nan Silver, The Seven Principles for Making Marriage Work: A Practical Guide from the Country's Foremost Relationship Expert (New York: Harmony, 2015), 129–130. ジョン・ゴットマン、ナン・シルバー『結婚生活を成功させる七つの原則』(松浦秀明訳、第三文明社、2007 年)
5. Organization of American States, Scenarios for the Drug Problem in the Americas 2013–2025 (Washington, DC: Author, 2013).
6. José Miguel Insulza, "The OAS Drug Report: 16 Months of Debates and Consensus" (Washington, DC: Organization of American States, 2014).
7. John Keats, The Complete Poetical Works and Letters of John Keats (Boston: Houghton, Mifflin, 1899), 277.

第８章　現在地から目的地までどのような道筋をとるか？

1. Mike Berardino, "Mike Tyson Explains One of His Most Famous Quotes," South Florida Sun Sentinel, November 9, 2012. https://www.sun-sentinel.com/sports/fl-xpm-2012-11-09-sfl-mike-tyson-explains-one-of-his-most-famous-quotes-20121109-story.html.

第5章　ファシリテーターは注意を払うことによって次にとるべき動きを知る

1. ウェブサイト www.theinnergame.com から引用。次も参照。Timothy Gallwey, The Inner Game of Tennis: The Classic Guide to the Mental Side of Peak Performance (New York: Random House, 1997) ティモシー・ガルウェイ『新インナーゲーム――心で勝つ！　集中の科学』（後藤新弥訳・構成、日刊スポーツPRESS、2000年）
2. John Geirland, "Go with the Flow," Wired, Issue 4.09 (September 1996), https://www.wired.com/1996/09/czik/.
3. Otto Scharmer, Theory U: Leading from the Future as It Emerges (Oakland, CA: Berrett-Koehler, 2009).
オットー・シャーマー『U理論――過去や偏見にとらわれず、本当に必要な「変化」を生み出す技術』第二版（中土井僚、由佐美加子訳、英治出版、2017年）
4. Adin Steinsaltz, Koren Talmud Bavli (Jerusalem: Koren Publishers, 2012) .
次に引用されている。https://steinsaltz.org/daf/shabbat31/.

第6章　私たちの状況をどのようにとらえるか？

1. 次を参照。Adam Kahane, Transformative Scenario Planning: Working Together to Change the Future (Oakland, CA: Berrett-Koehler, 2012), 1–13. 邦訳版では、アダム・カヘン『社会変革のシナリオ・プランニング――対立を乗り越え、ともに難題を解決する』（小田理一郎監訳、東出顕子訳、英治出版、2014年）の第1章を参照。
2. Shunryu Suzuki, Zen Mind, Beginner's Mind (Boston: Shambhala, 2011), 1. 鈴木俊隆『禅マインド ビギナーズ・マインド』（松永太郎訳、サンガ、2012年）
3. Edgar Schein, Humble Consulting: How to Provide Real Help Faster (Oakland, CA: Berrett-Koehler, 2016), xi. エドガー・シャイン『謙虚なコンサルティング――クライアントにとって「本当の支援」とは何か』（金井壽宏監訳、野津智子訳、英治出版、2017年）
4. Schein, Humble Consulting, xiv, 171.
シャイン『謙虚なコンサルティング』
5. Peter Senge, The Fifth Discipline: The Art and Practice of the Learning Organization (New York: Doubleday, 2006), 183. ピーター・センゲ『学習する組織――システム思考で未来を創造する』（枝廣淳子・小田理一郎ほか訳、英治出版、2011年）
6. 次を参照。Bryan Smith, "Building Shared Vision: How to Begin" and Louis van der Merwe, "Bringing Diverse People to Common Purpose," in Peter Senge, ed., The Fifth Discipline Fieldbook: Strategies and Tools for Building a Learning Organization (New York: Currency, 1994), 312, 424. ピーター・センゲほか『フィールドブック学習する組織「5つの能力」――企業変革をチームで進める最強ツール』（柴田昌治、スコラ・コンサルト監訳、牧野元三訳、日本経済新聞社、2003年）に収録の Bryan Smith, "Building Shared Vision: How to Begin" and Louis van der Merwe, "Bringing Diverse People to Common Purpose,"
7. Kees van der Heijden, Scenarios: The Art of Strategic Conversation (Chichester,

Change, Changing Worlds (Chico, CA: AK Press, 2017); Marvin Weisbord and Sandra Janoff, Future Search: An Action Guide to Finding Common Ground in Organizations and Communities (Oakland, CA: Berrett-Koehler, 2010) マーヴィン・ワイスボード、サンドラ・ジャノフ『フューチャーサーチ――利害を越えた対話から、みんなが望む未来を創り出すファシリテーション手法』(香取一昭、株式会社ヒューマンバリュー訳、ヒューマンバリュー、2008年/2023年に英治出版より新訳版発行予定）; Harrison Owen, Open Space Technology: A User's Guide, 3rd edition (Oakland, CA: Berrett-Koehler, 2008); Zaid Hassan, The Social Labs Revolution: A New Approach to Solving Our Most Complex Challenges (Oakland, CA: Berrett-Koehler, 2014); and Otto Scharmer, Theory U: Leading from the Future as It Emerges (Oakland, CA: Berrett- Koehler, 2009) オットー・シャーマー『U理論――過去や偏見にとらわれず、本当に必要な「変化」を生み出す技術』第二版（中土井僚、由佐美加子訳、英治出版、2017年）

2. 次の例を参照。Marianne Mille Bojer, Heiko Roehl, Marianne Knuth, and Colleen Magner, Mapping Dialogue: Essential Tools for Social Change (Chagrin Falls, OH: Taos Institute, 2008)、John Heron, The Complete Facilitator's Handbook (Seattle: Kogan Page, 1999)、Tom Devane, and Steven Cady, eds., The Change Handbook: Group Methods for Shaping the Future (Oakland, CA: Berrett-Koehler, 2007)、Sam Kaner, Facilitator's Guide to Participatory Decision-Making (San Francisco: Jossey-Bass, 2014)、Henri Lipmanowicz and Keith McCandless, The Surprising Power of Liberating Structures (Seattle: Liberating Structures Press, 2014)、Roger Schwarz, The Skilled Facilitator: A Comprehensive Resource for Consultants, Facilitators, Coaches, and Trainers (San Francisco: Jossey-Bass, 2016) ロジャー・シュワーツ『ファシリテーター完全教本――最強のプロが教える理論・技術・実践のすべて』(寺村真美、松浦良高訳、日本経済新聞社、2005年）; Brian Stanfield, The Workshop Book: From Individual Creativity to Group Action (Gabriola Island, British Columbia: New Society, 2002).

第3章　変容型ファシリテーションは制約を突破する

1. 極性を理解し取り扱うためのこのモデルは、次の著書にまとめられたバリー・ジョンソンの理論・実践体系に基づいている。Barry Johnson, Polarity Management: Identifying and Managing Unsolvable Problems (Amherst, MA: Human Resource Development Press, 2014)、And: Making a Difference by Leveraging Polarity, Paradox or Dilemma (Amherst, MA: Human Resource Development Press, 2020).
2. Gilmore Crosby, Planned Change: Why Kurt Lewin's Social Science Is Still Best Practice for Business Results, Change Management, and Human Progress (New York: Productivity Press, 2020), 8–9. Crosby はクルト・レヴィンの Group Decision and Social Change (New York: Henry Holt, 1948), 280. を引用している。

原注

エドガー・シャインによる序文

1. Ed Schein and Warren Bennis, Personal and Organizational Change through Group Methods: The Laboratory Approach (New York: Wiley, 1965) エドガー・シャイン、ウォレン・ベニス『T－グループの実際』(伊東博訳、岩崎学術出版社、1969年)、『T－グループの理論』(古屋健治・浅野満訳、岩崎学術出版社、1969年)；Don Michael, Learning to Plan and Planning to Learn (Alexandria, VA: Miles River Press, 1987)
2. Ed Schein, Process Consultation: Its Role in Organization Development (Reading, MA: Addison-Wesley, 1969)；Peter Senge, The Fifth Discipline: The Art and Practice of the Learning Organization (New York: Doubleday, 2006) ピーター・センゲ『学習する組織――システム思考で未来を創造する』(枝廣淳子・小田理一郎ほか訳、英治出版、2011年)；Ronald Heifetz, Leadership without Easy Answers (Cambridge, MA: Belknap, 1994) ロナルド・ハイフェッツ『リーダーシップとは何か！』(幸田シャーミン訳、産能大学出版部、1996年)；Otto Scharmer, Theory U: Leading from the Future as It Emerges (Oakland, CA: Berrett-Koehler, 2009) オットー・シャーマー『U理論――過去や偏見にとらわれず、本当に必要な「変化」を生み出す技術』第二版（中土井僚、由佐美加子訳、英治出版、2017年）；and Gervase Bushe and Robert Marshak, eds., Dialogic Organization Development (Oakland, CA: Berrett- Koehler, 2015) ジャルヴァース・ブッシュ、ロバート・マーシャク編著『対話型組織開発――その理論的系譜と実践』(中村和彦訳、英治出版、2018年)

まえがき

1. Kurt Lewin, "Problems of Research in Social Psychology," in Field Theory in Social Science: Selected Theoretical Papers, ed. D. Cartwright, (New York: Harper & Row, 1951), 169 クルト・レヴィン『社会科学における場の理論』(猪股佐登留訳、誠信書房、1956年）に収録の「社会心理学における研究の問題」

序章　「あなたは神秘の出現に対する障害を取り除いている！」

1. これらの方法論は次の書籍で説明されている。Adam Kahane, Transformative Scenario Planning: Working Together to Change the Future (Oakland, CA: Berrett-Koehler, 2012) アダム・カヘン『社会変革のシナリオ・プランニング――対立を乗り越え、ともに難題を解決する』(小田理一郎監訳、東出顕子訳、英治出版、2014年)；David Cooperrider and Diana Whitney, Appreciative Inquiry: A Positive Revolution in Change (Oakland, CA: Berrett-Koehler, 2005) デビッド・クーパーライダー、ダイアナ・ウィットニー『ＡＩ「最高の瞬間」を引きだす組織開発――未来志向の"問いかけ"が会社を救う』(本間正人監訳、市瀬博基訳、PHP研究所、2006年)；Adrienne Maree Brown, Emergent Strategy: Shaping

謝辞

多くの同僚、友人、そして家族のサポートと心遣いには、この上なく感謝している。彼らがいなかったら、本書を執筆することはできなかっただろう。

ファシリテーションはチーム・スポーツだ。本書は、次の方々を含む多くのすばらしいファシリテーション・チームでのプレイから、私が学んできたことを抜粋したものである。ネグス・アクリル、マーシャ・アンダーソン、アントニオ・アラニバル、スティーブ・アトキンソン、ブレンナ・アトニコフ、ジェフ・バーナム、ヴェロニカ・バズ、アダム・ブラックウェル、ディネシュ・バドラム、ミーレ・ベイエール、スティナ・ブラウン、マヌエル・ホセ・カルバハル、スミット・チャンプラシット、デイビッド・クリスリップ、チャールズ・クレルモン、モリア・デイビス、エレナ・ディエス・ピント、ジャン・ポール・フォービアン、ベティー・スー・フラワーズ、レベッカ・フリース、ロサーナ・フエンテス、リー・ガスナー、メスフィン・ゲタチュー、メラニー・グッドチャイルド、リアン・グリロ、ハル・ハミルトン、アヴナー・ハラマティ、ザイード・ハッサン、ジョセフ・ジャウォースキー、テジャスウィニー・ジュンジュンワラ、ドロシー・カヘン、マイク・カン、ゴフト・カニャポーン、マリアン・クヌース、ピーター・ル・ルー、アナイ・リナレス、エウンポーン・ロイプラディット、メラニー・マッキノン、フリオ・マドラーソ、アルン・マイラ、ヴィンセント・マファイ、ヘラルド・マルケス、ルイ・

レネ・マルティネス、ジョー・マッカロン、グレイデイ・マッゴナギル、ジャッキー・マックルモア、アマンダ・ミオウェイセッジ、ホアキン・モレノ、レラト・ンポフ、グスタボ・ムティス、チョイス・ンドロ、ビル・オブライエン、ウェンディ・パーマー、ディーン・パリジャン、レオラ・フェルプス、エリザベス・ピニングトン、モニカ・ポールマン、イアン・プリンスルー、マヌエラ・レストレポ、オットー・シャーマー、クリステル・ショルテン、ポール・サイモンズ、ワンドワッセン・スィンタヤウ、ファー・スニドウォンセ、ダーリーン・スペンス、ホルヘ・タラベラ、キース・ヴァン・デル・ハイデン、ルイス・ヴァン・デル・メルヴェ、ダーヴィト・ヴィンター。

私がこの困難な仕事をすることができているのは、次の方々を含む強いレオス・パートナーズのチームの一員であるからだ。スティーブ・アトキンソン、ブレンナ・アトニコフ、ミーレ・ベイエール、ジェニファー・ファルブ、ジェシカ・ファン、レベッカ・フリース、リーアン・グリロ、テジャスウィニー・ジュンジュンワラ、マイク・カン、コリーン・コーニャック、コリーン・マグナー、ヘラルド・マルケス、ジャッキー・マックルモア、ヨゼフィーネ・パラント、モニカ・ポールマン、イアン・プリンスルー、マヌエラ・レストレポ、クリステル・ショルテン、マリアン・スミス、マフムード・サンデイ、ダーヴィト・ヴィンター。とりわけ、長きにわたるビジネスパートナーのジョー・マッカロンの揺るぎないサポートには感謝している。

本書の草稿には、次の方々から多くのフィードバックをいただいている。アンドルー・

アクパン、マーシャ・アンダーソン、ショーン・アンドリュー、デイビッド・アーチャー、クララ・アレナス、ロビン・エイシー、ジョン・アトキンソン、ブレンナ・アトニコフ、リッチ・アン・ベイツ、フィービー・バーナード、ドリアン・バローニ、ジャニー・バロー、ニック・ビーソン、ブランカ・ベラック、ステファン・バーグハイム、マルシア・ベヴィラクア、ピーター・ブロック、ミーレ・ベイエール、サイモン・ボールド、ステイシー・ボス、ジャン＝ポール・ボーク、フレイア・ブラッドフォード、サラ・ブルックス、サンティアゴ・カンポス、ミゲル・カナス、ステファン・カーマン、マヌエル・ホセ・カルバハル、バーナデット・キャスティロ、マンディー・キャバノー、アンキット・チャブラ、アマン・チッカラ、デイビッド・クリスリップ、エリザベス・クレメント、チャールズ・クレルモン、ロール・コーエン、ヴァル・ポーター・クック、ミシムナ・コーク、クリス・コリガン、ホセフィーナ・コウティニョ、アリア・デアンジェリス、ネイラ・デ・ピューター、シスカ・デ・ピレシン、キータ・デミング、ウメッシュ・ダン、レベッカ・ダウニー、スコット・ドリミー、エイミー・エマート、エミール・エノゲナ、ジョシュ・エパーソン、トーマス・エヴァリル、ラッセル・フィッシャー、ベティー・スー・フラワーズ、グウィン・フォスター、ジェラルダ・フレデリック、マイク・フリードマン、アーティ・フリーマン、レベッカ・フリース、ハーマン・ファンク、メスフィン・ゲタチュー、ジム・ギミアン、キャシー・グローバー、アーネスト・ゴディン、ジョージ・ゲンス、ピエール・ゴイランド、キャロル・ゴレリック、ポール・ハッケンミュラー、サレリーナ・ハム、カルヴィン・ヘイニー、トビー・ハーパー＝メリット、リン・ハリス、チップ・ハウス、ジェフ・ヘイゼル、メーガン・ヘルスターン、キラ・ヒッグズ、ダニエル・ヒルシュラー、アルト・ホルデイク、ヴィンセント・ハドソン、コンスタンチン・イリオポウロス、ジェイク・ジェイコブス、セドリック・ジャメ、レイチェル・ジョーンズ、ローズ・カッタカル、ルヒエ・ケスキン、アート・クライナー、クリスチャン・ケーラー、スーザン・コロディン、ルース・クリボイ、パスカル・クルイジスフィックス、シルヴィ・クウェブ、エリザベス・ランカスター、リチャード・レント、トム・レント、セドリック・レヴィトレ、ステファニー・レビー、キャシー・ルイス、リサ・リム＝コール、ヴィクター・ロー、ビル・マカリスター・ロヴァット、ジョン・ルーキン、メラニー・マッキノン、ペドロ・マガラフ、マリア・グラツィア・マガジーノ、ヘラルド・マルケス、ナディーン・マコーミック、ジョセフ・マッキンタイア、ヒョン＝ダック・マッケイ、クレア・マッケンドリック、ポーリーン・メルニック、パランド・メイサマイ、キャス・ミルン、マリア・モンテホ、ジェリー・ネイゲル、ジョー・ネルソン、マリア・アナ・ネベス、タラ・ポルザー・ングワト、シバウト・ノーテボーム、小田理一郎、シェーマス・オゴーマン、ヨハヌス・オルストホルン、キャロリン・ペイケル、ヨゼフィーネ・パラント、ミカエル・パルトシク、マヌエラ・ピーターセン、ロジャー・ピーターソン、スティーブ・ピエールサンティ、モニカ・ポールマン、モニカ・ポルテアヌ、イアン・プリンスルー、アンタレス・ライスキー、キャロライン・レニー、マヌエラ・レストレポ、マーク・レティグ、ショーン・ローク、アリソン・ローパー、マイケル・ロズィン、キャサリン・サンズ、ジョルジュ・サニント、イーナ・サンタマキ、ステファノ・サヴィ、エド・シャイン、ピーター・シャイン、シルヴァ・セドラキアン、ヘンリー・センコ、マーク・シルバーグ、キャンディス・シンクレア、アルジュン・シン、ナブジート・シン、リッツ・スケルトン、グスタフ・ソーレンセン、アントニオ・スターニノ、イルカ・シュタイン、ラモナ＝デニーサ・シュタイパー、ボブ・スティルガー、ダニエル・スティルマン、ダイ・ストラッカン、ニコル・スール、ダグ・サンタイム、アンドレア・スワンソン、ジル・スウェンソン、アヌーク・ターレン、スヴェンヤ・タムズ、テレンス・テイラー、クリス・トンプソン、グレッグ・トーソン、マルコ・バレンテ、ルイス・ヴァン・デル・メルヴェ、パスカル・ワティオー、ダグ・ウェインフィールド、イアン・ワイト、ダーヴィト・ヴィンター、テレサ・ウッドランド、ジョエル・ヤノウィッツ。

私が本書とこれまでの著書を執筆・出版できているのは、ベレット＝ケーラーの優れたチームのおかげである。スーザン・ゲラティ、ダニエル・テッサー、ミッシェル・D・ジョーンズ、キャシー・マロン、キャロリン・ティボー、マリア・ヘスス・アギロ、シャブナム・バナジー＝マクファーランド、ヴァレリー・コールドウェル、レスリー・クランデル、マイケル・クローリー、ソヘイラ・ファーマン、クリステン・フランツ、カトリーヌ・ラングロンヌ、ゾエ・マッキー、ケイティ・シーハン、ジーバン・シバスブラマニアム。とりわけ、類まれな編集者であるスティーブ・ピエールサンティのすばらしいサポートを高く評価している。

最後に、私の精神的な支えとなっているのは、家族の愛だ。アラン、オリビア、アレクサンダー、ジェームズ・ブーサック、リーネケ、シェーン・デニス、バーナード、ディヴィッド、ジェド、ナオミ・カヘン、カエリン、ダニエル、ジョシュア・ティッセン、ベレン、ジャン＝ポール、シボーン、キアラン・ウィルキンソン、ピュレーン、アポロ、ザイオン、マーリー、サイナイ・ゼイク。そして、とりわけ、すべてを可能にしてくれたドロシー。

●著者

アダム・カヘン
Adam Kahane

人々が最も重要かつ困難な問題に対して共に前進することを支援する国際的な社会的企業であるレオス・パートナーズ社の取締役。

レオス・パートナーズは、互いに理解や同意、信頼がない関係者でも、最も困難な課題に対して前進できるようなプロセスを設計、ファシリテーション、ガイドしている。教育、健康、食糧、エネルギー、環境、開発、正義、安全保障、平和などの課題について、政府、企業、市民社会組織と連携して取り組んでいる。ケンブリッジ（マサチューセッツ州）、ジュネーブ、ヨハネスブルグ、ロンドン、メルボルン、モントリオール、サンパウロにオフィスを構え、グローバルかつローカルに活動している。

アダム・カヘンは、企業、政府、市民社会のリーダーが協力してこのような課題に取り組むためのプロセスを整え、設計、ファシリテーションを行う第一人者。これまでに50カ国以上、世界各地で、経営者や政治家、将軍やゲリラ、公務員や労働組合員、地域活動家や国連職員、聖職者や芸術家などと協働してきた。
カナダ勲章を受章しているほか、2022年、ダボス会議の世界経済フォーラムで、シュワブ財団の「ソーシャル・イノベーション思想的指導者2022」に選出された。

著書に『手ごわい問題は、対話で解決する』（ヒューマンバリュー／2023年に英治出版より新訳版発行予定）、『未来を変えるためにほんとうに必要なこと』（英治出版）、『社会変革のシナリオ・プランニング』（英治出版）、『敵とのコラボレーション』（英治出版）。20カ国語以上に翻訳されている。

『手ごわい問題は、対話で解決する』には、ネルソン・マンデラが「この画期的な本は、現代の中心的な課題である、私たちが作り出した問題を解決するために協力する方法を見いだすことに取り組んでいる」という言葉を寄せている。

1990年代初頭には、ロンドンのロイヤル・ダッチ・シェルで社会、政治、経済、技術シナリオの責任者を務めた。また、パシフィック・ガス・アンド・エレクトリック社（サンフランシスコ）、経済協力開発機構（パリ）、国際応用システム分析研究所（ウィーン）、日本エネルギー経済研究所（東京）、オックスフォード大学、トロント大学、ブリティッシュ・コロンビア大学、カリフォルニア大学、西ケープ大学で戦略および研究の役職を歴任している。

マギル大学（モントリオール）で物理学の学士号（優等）、カリフォルニア大学（バークレー）でエネルギー・資源経済学の修士号、バスタ大学（シアトル）で応用行動科学の修士号を取得。また、ハーバード・ロー・スクールで交渉術を、マルグリット・ブルジョワ研究所でチェロの演奏を学んだ。

妻のドロシーとともにモントリオールとケープタウンに在住。

https://www.adamkahane.com

●翻訳・日本語版序文

小田理一郎
Riichiro Oda

「システム思考」「学習する組織」「ダイアログ」「共有ビジョン」「変化の理論」など変化のための方法論を通じて、人や組織や社会がよりよい未来を実現することを支援する社会的企業、チェンジ・エージェント社の代表取締役。

チェンジ・エージェント社は、研修、リーダーシップ開発、組織開発などを通じて、サステナビリティ推進、社会課題解決のための能力開発とプロセスデザイン、ファシリテーションなどのサービスを提供し、日本を中心に、インドネシア、ハンガリー、ナミビア、カメルーンなどで活動を展開する。

小田理一郎は、オレゴン大学経営学修士（MBA）プログラムで多国籍企業経営を専攻。米国多国籍企業で 10 年間、製品責任者・経営企画室長として組織横断での業務改革・組織変革に取り組む。2005 年チェンジ・エージェント社を共同設立し、経営者・リーダー向け研修、戦略開発、組織開発、CSR 経営などのコンサルティングに従事すると共に、システム横断で社会課題を解決するプロセスデザインやファシリテーションを展開する。デニス・メドウズ、ピーター・センゲ、ビル・トルバートら世界の第一人者たちの薫陶を受けて、システム思考、学習する組織、行動探求などの日本での普及推進を図っている。組織学習協会（SoL）ジャパン理事長、スウェーデン非営利組織 Global SoL 役員（会計）、サステナビリティ分野プロフェッショナルの国際ネットワーク International Network of Resource Information Centers の役員（会計）を務めるなど国内外の実践者・学習者コミュニティを運営する。

関西大学、東京大学、東北大学、東京工業大学社会人向け MOT プログラムなどで非常勤講師を歴任。大学院大学至善館の社会人向け MBA プログラムの特任教授。

著書に『「学習する組織」入門』（英治出版）、『マンガでやさしくわかる学習する組織』（日本能率協会マネジメントセンター）、『なぜあの人の解決策はいつもうまくいくのか?』（東洋経済新報社）など。訳書、解説書にアダム・カヘン著『社会変革のシナリオ・プランニング』『敵とのコラボレーション』、ドネラ・H・メドウズ著『世界はシステムで動く』、ピーター・M・センゲ著『学習する組織』、ビル・トルバート著『行動探求』（以上、英治出版）、『成長企業が失速するとき、社員に“何”が起きているのか?』（日経 BP）など。

青森県出身。東京在住。

https://www.change-agent.jp/

[英治出版からのお知らせ]

本書に関するご意見・ご感想をE-mail（editor@eijipress.co.jp）で受け付けています。
また、英治出版ではメールマガジン、Webメディア、SNSで新刊情報や書籍に関する記事、イベント情報などを配信しております。ぜひ一度、アクセスしてみてください。

メールマガジン：会員登録はホームページにて
Webメディア「英治出版オンライン」：eijionline.com
ツイッター：@eijipress
フェイスブック：www.facebook.com/eijipress

共に変容するファシリテーション

5つの在り方で場を見極め、10の行動で流れを促す

発行日	2023年1月23日　第1版　第1刷
著者	アダム・カヘン
訳者	小田理一郎（おだ・りいちろう）
発行人	原田英治
発行	英治出版株式会社 〒150-0022 東京都渋谷区恵比寿南1-9-12 ピトレスクビル4F 電話　03-5773-0193　　FAX　03-5773-0194 http://www.eijipress.co.jp/
プロデューサー	安村侑希子
スタッフ	高野達成　藤竹賢一郎　山下智也　鈴木美穂　下田理 田中三枝　平野貴裕　上村悠也　桑江リリー　石﨑優木 渡邊吏佐子　中西さおり　関紀子　齋藤さくら　下村美来
印刷・製本	中央精版印刷株式会社
装丁	重原隆
校正	株式会社ヴェリタ

ISBN978-4-86276-320-4　C0034　Printed in Japan